SACRAMENTO PUBLIC LIBRARY
S0-BWO-277
07/2019

WITHDRAWN FROM COLLECTION
OF SACRAMENTO PUBLIC LIBRARY

101 RESPUESTAS CLAVE

a las dudas más frecuentes sobre

Crianza y límites

WITHDRAWN FROM COLLECTION
OF SACRAMENTO PUBLIC LIBRARY

A modo de presentación

La crianza de nuestros hijos es una de las tareas más maravillosas que asumimos los seres humanos. Pero junto con la satisfacción que nos da ver crecer sanos a nuestros niños, nos surgen dudas e inquietudes sobre si estamos actuando de la mejor manera para formar futuros jóvenes y adultos responsables. Estamos seguros de que todos los padres desean darles a sus hijos las herramientas necesarias para construir el mejor futuro posible, lleno de oportunidades, de logros y de felicidad. Para esto, es preciso conocer las claves de una **crianza positiva**, entre ellas **cómo poner límites sin coartar la libertad** de acción de los niños, **cómo estimular el desarrollo de un nivel adecuado de autoestima** y **cómo educarlos en la autodisciplina** y el **autocontrol**, lo que les permitirá ser personas autónomas y tener confianza en sí mismos.

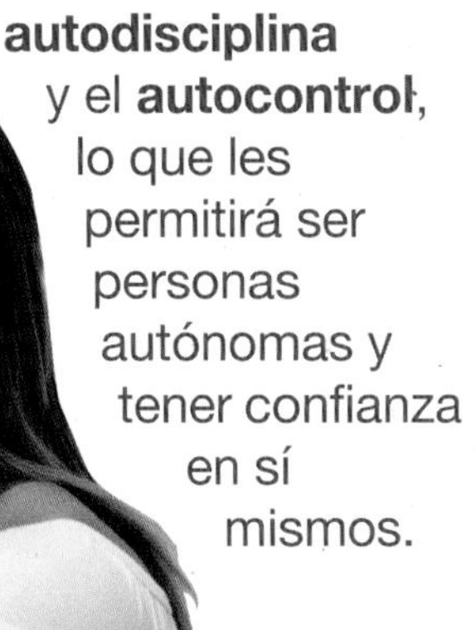

Con este objetivo, presentamos esta obra articulada en torno a **101 preguntas y respuestas**, divididas en **diez grandes temas**. La obra abarca los aspectos centrales del **desarrollo afectivo, intelectual y social de los niños**, que apuntan a resolver las dudas más frecuentes que suelen enfrentar los padres sobre la crianza de sus hijos durante los primeros años de la infancia, en especial desde los 3 hasta los 6 años.

El libro incluye, además, **páginas especiales** para profundizar los temas y problemas tratados, **plaquetas informativas** que aportan datos de interes y **cuadros con consejos e ideas** prácticas para hacer frente con éxito a diversas situaciones cotidianas que nos plantea la crianza de los pequeños.

Estamos convencidos de que a lo largo de sus páginas y de sus 101 preguntas y respuestas, encontrarán ideas originales que los ayudarán a orientarse en esta aventura apasionante y llena de desafíos que implica asumir la formación integral y provechosa de los niños, no solo para el presente, sino también para el futuro.

Los editores

¿Cómo usar la obra?

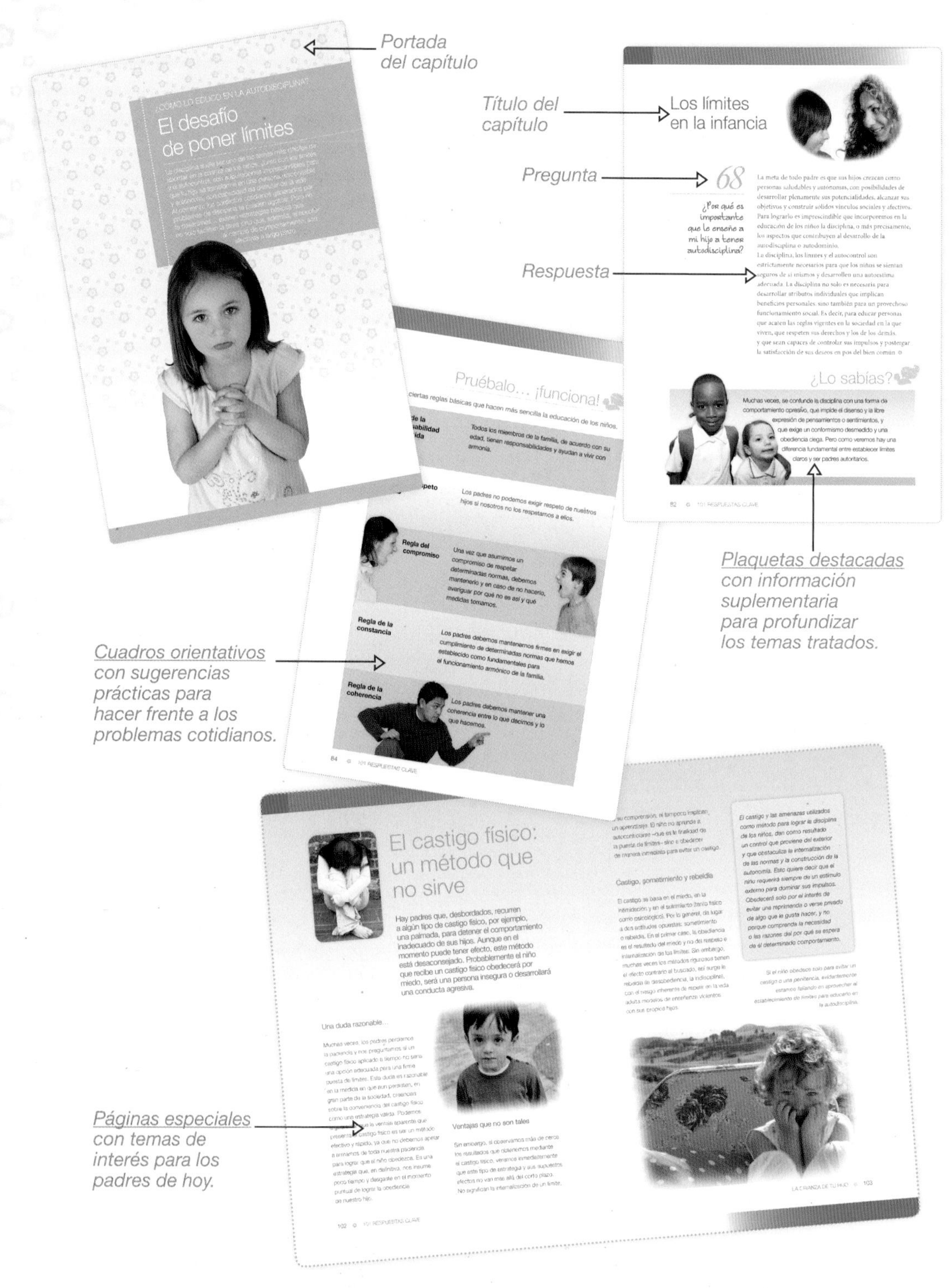

INTERACCIÓN Y AFECTO

¿Cómo influyen los vínculos en su seguridad afectiva?

Las primeras interacciones entre el bebé y sus padres constituyen la base para el desarrollo futuro del niño. Las miradas, las caricias y los cuidados corporales permitirán construir una relación indestructible, en la que el bebé encontrará la seguridad necesaria para ir adaptándose al mundo que lo rodea.

Una relación fundamental

1

¿Cómo inicio el vínculo afectivo con mi bebé?

Es muy importante que, en los minutos posteriores al alumbramiento, tú y tu pareja tomen al bebé en sus brazos. Aunque te parezca que tu recién nacido no percibirá tus caricias, esto no es así. El bebé puede detectar tu presencia, al poco tiempo de estar juntos reconocerá tu olor y tu manera de tomarlo, eso le dará tranquilidad y lo hará sentir seguro. Recuerda que la relación con tu hijo empieza a construirse desde sus primeros momentos de vida, por eso es muy importante la calidad de este vínculo. Las experiencias iniciales de afecto son indispensables para el desarrollo emocional de los niños y para la construcción de la autonomía personal.

2

¿Cómo sé si estoy estableciendo un vínculo satisfactorio con mi hijo?

Para que el vínculo con tu bebé en sus primeras etapas de vida sea satisfactorio, debes asegurarte, en primer lugar, asumir la función maternal, es decir, darle los cuidados necesarios para su supervivencia, lo que incluye el amor incondicional. Además de alimentarlo adecuadamente, debes prestar especial atención a disfrutar del contacto físico con tu hijo y estimularlo, sin pretender alterar sus ritmos de madurez física y de desarrollo emocional. Es importante no tratar de acelerar este proceso evolutivo, por ejemplo, obligarlo a que deje el pecho antes de tiempo, a que camine precozmente o a que contenga sus esfínteres cuando aun no está preparado para hacerlo.

El vínculo afectivo con tu bebé se establece desde los primeros minutos de vida.

3

¿Qué es la función maternal?

Como tú sabes, tu bebé nace en un estado de completa indefensión, lo que lo hace dependiente de los cuidados de un adulto para sobrevivir. La función materna abarca todos estos cuidados vitales en las primeras etapas de la vida: la alimentación, la higiene corporal, la atención de todas las necesidades del bebé y las diversas manifestaciones de afecto, que contribuirán al desarrollo emocional del recién nacido. Tradicionalmente, esta función era asumida de manera exclusiva por la madre, pero con los cambios culturales y sociales ocurridos en las últimas décadas, ahora también se comparte con el padre.

4

¿Por qué mi bebé necesita rutinas?

La rutina que se va constituyendo desde el nacimiento colabora en la delimitación de un espacio propio para el bebé como ser independiente de la madre y de los demás. Esta rutina, muy sencilla en los primeros meses de vida, comienza por establecer horarios y ciclos en la alimentación, en el sueño y en los hábitos de higiene.
A medida que el niño crece, la rutina cotidiana se hace más compleja y suma nuevas actividades que requieren cierto mecanismo de regulación, como horarios de juegos, paseos o baños. De esta manera, el bebé se va apropiando de un orden establecido por la constancia de determinados acontecimientos.
Sobre esta base se va fundando un sentimiento de seguridad, que es fundamental para su desarrollo psicológico.

¿Lo sabías?

En el transcurso de los primeros años de vida, hay algunas cosas que podemos hacer para ayudar al desarrollo afectivo e intelectual de nuestro hijo, entre ellas: interactuar y estimularlo; construir una relación de apego sano con él; aceptar su temperamento y adecuarse a los rasgos de su carácter; y posibilitar la conformación de su autonomía.

5

¿Por qué tengo que mantener cierta constancia en las rutinas cotidianas?

Tu bebé está tratando de adaptarse a un mundo desconocido para él, que se le presenta como caótico. Por esto, reconocer lo que se hace cotidianamente y el espacio físico donde se lleva adelante cada una de esas actividades, le permitirá a tu hijo anticiparse y desarrollar cierta sensación de certidumbre que se traduce, en términos psicológicos, en el sentimiento de seguridad. Por lo general, los bebés y los niños pequeños son muy sensibles a los cambios.

La falta de pautas constantes en la vida diaria puede tener como consecuencia la generación de un entorno inestable, que profundiza la sensación de inseguridad de los niños durante las primeras etapas de la vida.

Esto no significa que todos los días del bebé deban ser rígidamente pautados siempre en el mismo orden, pero sí exige algún grado de constancia y previsibilidad.

6

¿Cómo interpreto las señales de mi bebé?

Los bebés nacen provistos de una capacidad elemental para interactuar, prestar atención y emitir respuestas predecibles ante determinados estímulos. Por ejemplo, el niño viene al mundo con la capacidad de succionar, de aferrar con sus deditos, de llorar o de mirar, y estas habilidades innatas le permiten interactuar con quienes lo rodean.

Aunque te parezca extraño, tú también desarrollarás la capacidad de interpretar las formas particulares que tiene tu bebé para responder ante distintos estímulos. Por ejemplo, si notas que tu pequeño se calma cuando le hablas con un tono suave de voz a la vez que lo acaricias, es probable que recurras a estas estrategias para tranquilizarlo, ya que te han resultado exitosas en ocasiones previas.

Es importante interpretar correctamente las señales que dan los bebés.

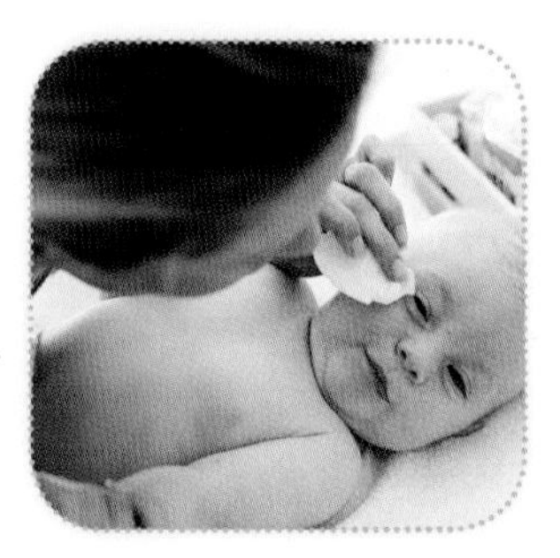

7
¿Es bueno estimularlo todo el tiempo?

Así como el bebé está preparado para interactuar contigo, también tiene una capacidad innata para regular el nivel de estímulo que puede llegar a tolerar, alternando periodos de atención y desatención. Cuando la estimulación sobrepasa su capacidad de absorción, es probable que tu hijo emplee alguna estrategia para detener la fuente de estímulo, por ejemplo, la evitación de la mirada o el llanto. Así te estará dando señales de que ya no puede sostener la actividad que venían haciendo. En ese momento, debes suspender la estimulación.

8
¿Si lo motivo, acelero su desarrollo?

El progreso de tu bebé tiene dos motores: uno interno, relacionado con la madurez biológica, y uno externo, que abarca los estímulos que recibe de su entorno familiar y social. Estos dos motores del desarrollo son interdependientes y su relación es indispensable para alcanzar un crecimiento adecuado. Es decir, no funcionan correctamente uno sin el otro. Hay bebés que son más activos y experimentadores que otros, pero todos necesitan una retroalimentación de estímulos de su medio social. Si tu bebé se esfuerza por alcanzar un logro y recibe tu reconocimiento, se sentirá motivado para enfrentar nuevos desafíos.

Por medio de diversas señales, en particular la alegría y el llanto, el bebé tiene la posibilidad de influir sobre tus actitudes hacia él, condicionando los comportamientos y las respuestas que necesita de ti.

La relación de apego

La relación entre el bebé y sus padres no se limita a la estimulación o a la satisfacción de sus necesidades básicas y su cuidado físico, sino que incluye también los aspectos afectivos. Esta relación, fundamental para el desarrollo de la vida emocional, implica una forma particular de vínculo conocido como apego.

¿Qué es el apego?

El apego es una relación afectiva con una persona determinada, que puede ser la madre o el cuidador primario del bebé, sostenida a lo largo del tiempo. A partir de este vínculo, los niños pueden construir un sentimiento de seguridad personal, tranquilidad y satisfacción.

Este tipo de relación se caracteriza por el contacto físico positivo, como las caricias, los abrazos y los besos que todo niño requiere para su adecuado desarrollo físico, emocional y social. Existen otras formas de vinculación positivas en la relación de apego, por ejemplo, el canto, la alimentación, el mecimiento. Estas experiencias nutren la relación de apego e incluso estimulan parte del funcionamiento cerebral.

Una relación de apego sana posibilita, en el presente, la satisfacción y el sentimiento de seguridad y, a futuro, la construcción de recursos personales para el enfrentar y resolver situaciones difíciles y experiencias negativas.

Las ventajas del apego seguro

El vínculo de apego, entendido como la relación de apoyo y sostén de los padres u otras figuras significativas, junto con otras relaciones afectivas, le permitirán al niño enfrentar las adversidades y situaciones difíciles.
Los niños que han contado con un buen vínculo de apego, o apego seguro, suelen tener un adecuado nivel de autoestima, seguridad, confianza en sí mismos, capacidad de autonomía y de sociabilidad y perspectivas optimistas. Estos atributos le permiten al niño tolerar, manejar y sortear las diversas situaciones de conflicto y los obstáculos que se les van presentando a lo largo de su vida.

Características de los niños con vínculo de apego positivo

- *Evidencian signos de felicidad en las relaciones con otras personas.*
- *Buscan el contacto físico con los padres.*
- *Solicitan consuelo a sus padres cuando alguna situación les causa ansiedad o temor.*
- *La mayor parte del tiempo se sienten seguros y relajados.*
- *Se interesan y comprometen en actividades y juegos.*

Problemas de apego

Cuando los adultos cuidadores son sensibles a las necesidades y sentimientos del niño, se establece un vínculo de apego seguro, que le da al bebé la confianza y la seguridad necesarias para su desarrollo.

Pero esto no siempre es así. Los adultos, ya sea los padres o quienes cuidan del niño, pueden actuar de manera inconstante, generando en el bebé sensaciones de inseguridad afectiva y falta de confianza. En esos casos, los especialistas hablan de un apego inseguro. Este déficit afectivo puede conducir a problemas de vinculación y trastornos de conducta en los distintos momentos evolutivos de la vida.

El apego seguro ayuda a desarrollar la autoconfianza

Consejos importantes 

Para sostener la interacción temprana con tu bebé

Adáptate activamente a los ritmos y necesidades de tu bebé; en particular, cuando es recién nacido. Permite que el padre del niño también establezca una relación cercana con él y se encargue de algunas de las tareas de cuidado.

Para que no llore

No debes estimularlo (hablarle, jugarle o moverlo) cuando el bebé da muestras de que no está dispuesto a interactuar, ya sea porque tiene sueño, porque no puede absorber esos estímulos o, simplemente, porque está molesto.

Para fortalecer el vínculo con tu bebé

Acompaña la atención de las necesidades de tu bebé (alimentación, baño, cambio de pañales, etcétera) con manifestaciones de amor y aprovecha esos momentos para hablarle, acariciarlo, mirarlo a los ojos, sonreírle.

Respeta sus tiempos

No intentes acelerar los ritmos de maduración (caminar, decir “mamá”, sostenerse de pie, controlar esfínteres, etcétera); resulta fundamental respetar los tiempos madurativos de nuestros hijos.

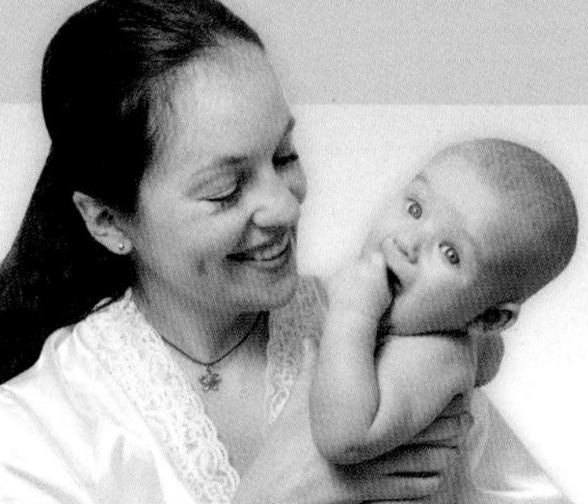

Estimula su autoestima

Manifiesta orgullo ante los pequeños y grandes logros que va alcanzando tu pequeño.

A partir del segundo mes de vida, el bebé se sirve de pautas sociales básicas como sonreír o emitir sonidos vocales en la interacción y comunicación con personas significativas de su entorno.

9

¿Qué significa la sonrisa de mi bebé?

A medida que va madurando su sistema neurológico, el bebé tiene mayores posibilidades de prestar atención a interacciones sociales cada vez más complejas y por tiempos más prolongados. Este progreso se puede ver claramente a partir de la octava semana de vida, que es cuando aparecen las primeras sonrisas sociales e incipientes vocalizaciones.
La capacidad de responder con una sonrisa o de emitir sonidos son indicios evidentes del grado mayor de complejidad que han adquirido las interacciones de tu bebé en comparación con las primeras semanas de vida, cuando solo podíamos esperar de él que mantenga la atención por escasos segundos.

10

¿Cómo evolucionará la interacción con mi hijo?

Entre los 0 y 3 meses, el bebé madura prioritariamente en los aspectos concernientes a su funcionamiento fisiológico; entre los 3 y 6 meses comienza la maduración del intercambio (social y afectivo) con los otros; entre los 6 y 9 meses el bebé desarrolla la capacidad de entablar (iniciar, mantener y finalizar) los intercambios sociales y también cierta manipulación de su entorno. Los meses siguientes, en particular después del año, el niño continúa madurando en su autoafirmación y va desarrollando la idea de sí mismo.

Un niño que ha desarrollado un apego seguro tiene confianza en que la persona con la cual ha establecido el vínculo le brindará bienestar y calma en momentos de tensión.

EMOCIONES Y TEMPERAMENTO

¡Quiero conocer a mi hijo!

Cada persona, desde que nace, tiene una "forma de ser", es decir, una manera de relacionarse con el medio, de construir vínculos afectivos y de responder en distintas situaciones. A esta "forma de ser" se la llama temperamento. En la constitución del temperamento tiene una gran influencia la vida emocional.

Los distintos temperamentos

11

¿Cómo inicio el vínculo afectivo con mi bebé?

Durante sus primeros meses de vida, la expresión de las emociones es el principal medio de comunicación que tiene el bebé para manifestar sus necesidades, dirigir demandas a sus padres o cuidadores y demostrar molestia o bienestar, entre otras sensaciones.
Al comienzo, esas emociones son muy básicas, principalmente molestia o alegría, y se expresan por medio del llanto, los gestos faciales, el movimiento, la postura corporal y los cambios fisiológicos (en el comer, dormir, en el ritmo de las evacuaciones, etcétera).
A medida que los niños crecen, la vida emocional se hace más compleja. Hacia los tres años de edad, ya tienen la capacidad de sentir y manifestar culpa, vergüenza, envidia, tristeza y vanidad. Durante este periodo las emociones se pueden expresar tanto con gestos y comportamientos como también de forma verbal.

12

¿Qué es el temperamento?

Se conoce como temperamento a las características individuales de cada niño en cuanto a la forma de acercarse y relacionarse con las demás personas, y a las maneras de reaccionar ante diferentes situaciones. En términos sencillos, es cómo el bebé o niño se vincula con el medio que lo rodea.
Para definir el tipo de temperamento de un bebé, se toman en consideración los rasgos personales que se manifiestan en determinadas actitudes, por ejemplo: la predisposición a aceptar personas y situaciones nuevas, la capacidad de adaptación al cambio, la regularidad de las funciones biológicas (comer, dormir), el nivel de actividad motora y física, la sensibilidad a estímulos (luz, sonido), la intensidad en las respuestas y el nivel de atención.

13

¿Qué tipos de temperamento existen?

Según las actitudes predominantes de los niños, se distinguen tres tipos de temperamento: los niños de temperamento fácil (o agradable), de temperamento difícil y de reacción lenta. El tipo de temperamento incide en la conducta de los pequeños, por eso es muy importante reconocer estas características básicas de la personalidad que ayudan a comprender ciertos comportamientos infantiles.

14

¿Puedo cambiar el temperamento de mi hijo?

No podrás cambiar el temperamento de tu hijo, pero sí puedes ayudar a generar condiciones más propicias para su desarrollo afectivo e intelectual según sus características. Por ejemplo, si tu niño tiene un elevado nivel de acción, lo conveniente sería proponerle actividades que impliquen movimiento; si el niño es retraído y tiene dificultades para adaptarse a nuevas personas y situaciones, no debes presionarlo para que sea sociable, ni obligarlo a permanecer en lugares extraños con personas que no le sean familiares.

¿Lo sabías?

Los padres de un niño con temperamento reservado deben disponer de mucha paciencia, incentivando de manera lenta nuevas experiencias, pero respetando el ritmo de su hijo. Si se le otorga el tiempo que necesita, es muy probable que el niño logre adaptarse y disfrutar de nuevas situaciones y/o vínculos con personas desconocidas.

15

¿Cuáles son las principales características de cada temperamento?

La mayoría de los bebés y niños tiene un tipo de temperamento fácil. Se caracterizan por estar felices gran parte del tiempo, sus conductas son predecibles, sus ritmos biológicos regulares y, además, disfrutan las experiencias nuevas.
Estos bebés o niños suelen ser de fácil trato y poco demandantes. No obstante, los padres deben tener presente que, por más tranquilo que sea el niño, se le debe prestar atención, estimularlo y dedicarle tiempo.
Los bebés y niños con temperamento reservado o de reacción lenta son los que se suelen calificar como tímidos o introvertidos. Algunos especialistas los definen como niños difíciles de entusiasmar o de estimular.
Requieren de bastante tiempo para aceptar y adaptarse a situaciones y personas desconocidas, pero una vez que lo han logrado, son capaces de disfrutar de ellas; aunque también es esperable que rechacen emprender experiencias novedosas.
Suelen ser niños precavidos y muy observadores, de reacciones tardías y más bien leves o moderadas.
Por último, el temperamento difícil es el que mayor dificultad y angustia genera en los padres. Son niños con mucha actividad motora, inquietos, con bajo nivel de atención.
Son fácilmente irritables y reaccionan de manera intensa ante el hambre, el sueño o cualquier malestar. El llanto también es fuerte y presentan pocas posibilidades de calmarse a sí mismos.
Sin embargo, alrededor del primer año de vida, el bebé con temperamento difícil puede comenzar a dejar atrás muchas de estas cualidades arduas de dominar.

Una parte importante del temperamento es resultado de un aprendizaje, es decir, de cómo los niños aprenden a responder ante los estímulos emocionales.

16

¿Cómo tengo que actuar si mi bebé es irritable?

No es extraño que te sientas un poco agobiada y ansiosa porque no puedes manejar el comportamiento de tu bebé. Incluso algunos padres siente culpa y creen ser responsables del temperamento difícil de su hijo. Estos sentimientos, generalmente, hace que no sepan cómo tratar o cuidar al niño. Algunas recomendaciones son:

- Organizar una rutina diaria.
- Evitar situaciones que sabemos provocan malestar e irritabilidad en el niño.
- No exigirle demasiado ni esperar que cambie rápidamente su manera de responder ante determinados estímulos.

17

¿Para qué me sirve conocer el temperamento de mi hijo?

La importancia de conocer y comprender el temperamento de tu hijo radica en que te hará más sencillo definir, con un grado de mayor certeza, qué cosas pueden ser irritantes, cuáles son sus ritmos de adaptación a situaciones nuevas, sus necesidades, preferencias y aversiones. Estas particularidades te permitirán acomodar tus comportamientos y exigencias a las características predominantes de tu bebé. Debes tener en cuenta que la personalidad de tu hijo se está formando y que, muchas veces, con el crecimiento, estas conductas preocupantes, propias de un bebé irritable (lo que no es sinónimo de "anormal" o de "niño problema") pueden moderarse y el niño adquirir un comportamiento estable.

¿Lo sabías?

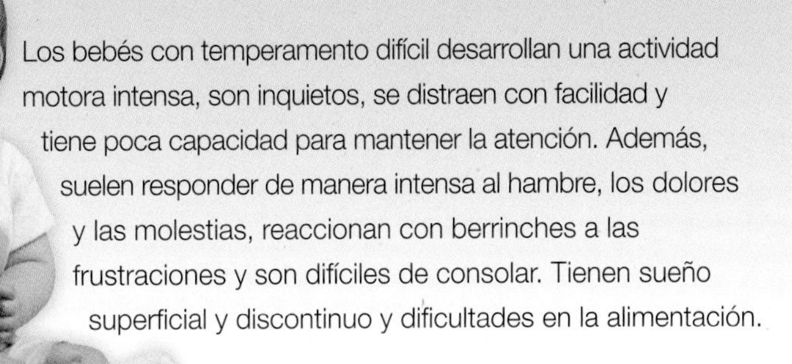

Los bebés con temperamento difícil desarrollan una actividad motora intensa, son inquietos, se distraen con facilidad y tiene poca capacidad para mantener la atención. Además, suelen responder de manera intensa al hambre, los dolores y las molestias, reaccionan con berrinches a las frustraciones y son difíciles de consolar. Tienen sueño superficial y discontinuo y dificultades en la alimentación.

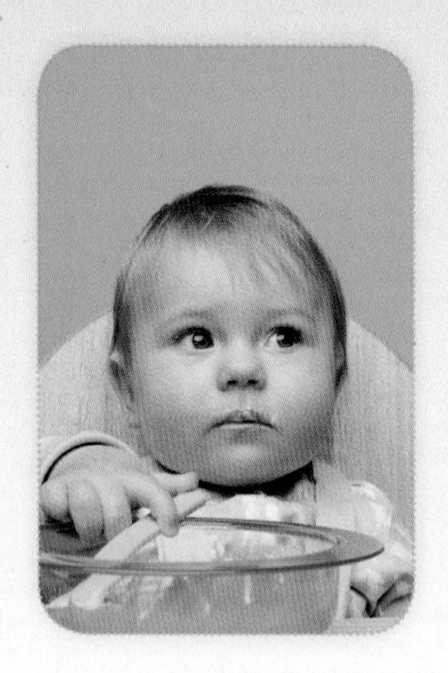

La angustia del octavo mes

Entre el sexto y octavo mes, dependiendo de las particularidades de cada bebé, se puede producir un cambio importante en el humor y en el comportamiento del niño. Notaremos que llora sin causa aparente o que por las noches se despierta con mucha más frecuencia que lo habitual. Estos cambios de comportamiento se conocen como "angustia del octavo mes" o "angustia de separación".

El inicio de la diferenciación

La llamada angustia del octavo mes o angustia de separación es un proceso madurativo normal. Los bebés avanzan, de manera paulatina, en el proceso de diferenciación entre su yo y el resto de las personas y el mundo exterior. Este desarrollo del yo tiene un primer punto de inflexión alrededor del octavo mes de vida, cuando la construcción del sí mismo se hace evidente.

Este proceso de construcción del sí mismo es progresivo, se inicia con una separación rudimentaria entre el yo y el no yo y, a medida que el tiempo pasa, se hace más complejo, a la vez que involucra los primeros procesos de independencia y autonomía y una profundización en el conocimiento sobre sí mismo.

La construcción de la independencia

En esta nueva etapa, el bebé comienza a percatarse de que la madre no es parte de su propia persona. Ahora entiende que es un ser independiente de él. Cuando el bebé no ve a su madre, ya sea porque esté fuera de su campo visual o porque no está presente, teme haberla perdido o no volver a verla. Este es el primer paso en el largo camino de diferenciación entre la propia persona y el mundo exterior. Además, dentro de ese mundo el bebé también comienza a diferenciar las personas que le interesan de las que no.

Una etapa de temor y ansiedad

Este periodo, que en algunos bebés es más pronunciado y en otros más leve, al punto que puede pasar casi desapercibido, suele generar bastante desconcierto y angustia en los padres. También provoca un nivel de sufrimiento en los bebés, debido a la sensación de desprotección que les genera el darse cuenta de que las madres son independientes de ellos. Sienten temor y ansiedad ante la presencia de extraños y también ante la ausencia de la madre. Incluso la presencia de familiares conocidos y cercanos al niño resulta insuficiente para mantenerlo en calma.

Los bebés que atraviesan este período reaccionan ante los extraños con llanto, evitan la mirada, se esconden en el hombro de su madre o procuran taparse la carita.

¿Cuánto dura la angustia de separación?

La duración de la angustia del octavo mes o de separación varía de un niño a otro. Puede extenderse durante pocos días o semanas y, en los casos menos frecuentes, hasta algunos meses. Aun si tiene una duración acotada, es fundamental que los ayudemos a transitar esta etapa de la mejor manera posible. La resolución de este periodo de angustia tendrá consecuencias significativas en la manera en que el pequeño afrontará las separaciones en el transcurso de la vida. Cuanto mejor se resuelva, mayores serán las posibilidades, en etapas posteriores, de superar situaciones de separación y pérdida.

Pruébalo... ¡funciona! 

Consolarlo cuando llora	Si el bebé llora, procurar alzarlo y consolarlo de manera inmediata. De ese modo, le daremos la sensación de que estamos en el momento en que nos necesite. Esta seguridad disminuirá la tensión y la angustia.
No sacarlo de la cuna	De noche, si se despierta, acudir a calmarlo, pero sin encender las luces del dormitorio, tampoco tomarlo en brazos (no hay que sacarlo de la cuna) ni, mucho menos, llevarlo a nuestra cama. Estos hábitos, que podemos considerar transitorios, después son muy difíciles de eliminar de la rutina del niño.
Hablarle	Si la mamá se encuentra fuera del campo visual del bebé, es importante que le hables para que escuche su voz. Esto le dará cierta tranquilidad.
Permitirle sustitutos	No debemos impedir que se apegue a determinados objetos o zonas de su cuerpo. Si el bebé lo desea, déjalo que use el chupete (o chupón), que se chupe el dedo o que se aferre a un muñeco, una manta u otro objeto.
Utilizar juegos	Para calmar la angustia podemos utilizar juegos que involucren los actos de desaparecer y reaparecer, esconderse y volver, arrojar cosas y volver a tomarlas. Este tipo de juego le permite al niño ir comprendiendo que las desapariciones son transitorias y que luego hay un retorno, o bien que los objetos pueden perderse momentáneamente y volver a recuperarse.

Debemos aceptar a nuestro bebé tal como es y potenciar sus cualidades positivas.

18

¿Cómo influyen mis expectativas en la personalidad de mi hijo?

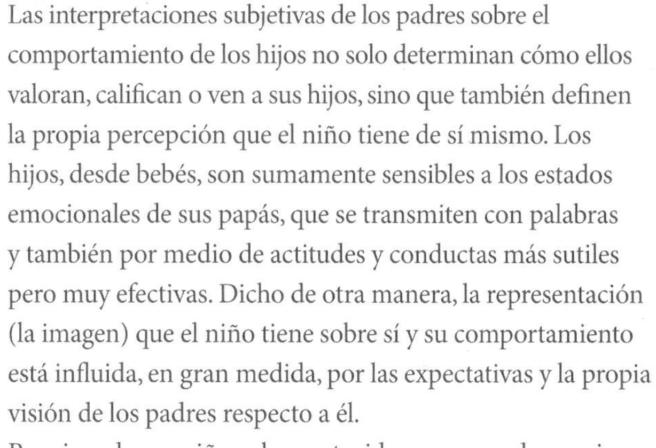

Las interpretaciones subjetivas de los padres sobre el comportamiento de los hijos no solo determinan cómo ellos valoran, califican o ven a sus hijos, sino que también definen la propia percepción que el niño tiene de sí mismo. Los hijos, desde bebés, son sumamente sensibles a los estados emocionales de sus papás, que se transmiten con palabras y también por medio de actitudes y conductas más sutiles pero muy efectivas. Dicho de otra manera, la representación (la imagen) que el niño tiene sobre sí y su comportamiento está influida, en gran medida, por las expectativas y la propia visión de los padres respecto a él.

Por ejemplo, un niño sobreprotegido por sus padres, quienes lo consideran frágil y tratan de que no sufra ninguna frustración, muy probablemente se autopercibirá como inseguro, temeroso y dependiente.

Por el contrario, un niño que desde pequeño es alentado por sus padres a explorar su alrededor con ciertos márgenes de libertad, a moverse con cierta autonomía y a enfrentar pequeñas dificultades que se le interpongan, seguramente potenciará una imagen propia de seguridad y con un buen nivel de autoestima.

Desde el inicio de la vida de los hijos, los padres suelen evaluar su comportamiento en función de sus valoraciones y aspiraciones personales.

¿Lo sabías?

Todo hijo es influido por las atribuciones subjetivas de los padres y esto es parte del desarrollo normal. Lo que resulta problemático es cuando las interpretaciones de los padres acentúan aspectos débiles de la personalidad del niño.

LA CONQUISTA DE LA AUTONOMÍA

¡Socorro, mi hijo hace berrinches!

A partir del año y medio comienza un período fundamental para tu hijo: el control de su cuerpo y la incipiente adquisición del lenguaje le permiten ir ganando cada día más autonomía. Los berrinches y rabietas, que tanto nos cuesta manejar a los padres, forman parte de su intento de imponer su voluntad y de reafirmar su personalidad.

Una señal de crecimiento

19

¿Qué comportamientos puedo esperar en esta etapa?

El aumento progresivo de la "conciencia de sí" y de la percepción como una persona independiente que aparece alrededor de los dos años de vida, implica que tu hijo querrá hacer cada vez más cosas por su cuenta. Esta incipiente autonomía se basa en que, en esta etapa, se alcanzan importantes logros en la esfera del desarrollo motriz. Camina cada vez con mayor seguridad y avanza notablemente en la coordinación, lo que le permite, por ejemplo, mejorar el manejo de la cuchara y otros utensilios. Tu pequeño comienza a disfrutar del creciente control que va teniendo sobre su cuerpo y de ser capaz de realizar solito acciones motoras básicas. Esta capacidad de actuar de forma independiente es decisiva para la construcción de la personalidad autónoma y la autoestima, y les genera a los pequeños una gran sensación de placer.

20

¿Cuáles serán sus principales logros?

Entre el año y medio y los tres años, comienza una etapa de apogeo de la expresión corporal y motriz. También se desarrolla de manera acelerada la expresión verbal, lo que cambia la manera de relacionarse, abriendo un mundo nuevo para tu hijo.
Con respecto al dominio del propio cuerpo, el principal logro es el control de esfínteres que, en términos generales, se adquiere entre los 2 y los 3 años. Este es un indicio de maduración biológica y de la creciente capacidad autónoma para regular procesos fisiológicos. El impacto psicológico de esta conquista es muy importante, ya que el niño empieza a ser consciente del poder de control que tiene y buscará ejercerlo no solo sobre su cuerpo sino sobre los demás, en particular, sus padres.

21

¿Cuándo tengo que empezar a enseñarle a ir al baño?

La edad promedio para empezar a entrenar a tu hijo para que deje los pañales es entre los 18 y los 24 meses, cuando ya existe la suficiente madurez biológica. Debes evitar tanto anticiparte y exigirle hacer algo para lo que su cuerpo aun no está preparado, como postergar el aprendizaje prolongando la situación de dependencia. Presta atención a las señales que te dará tu hijo de que ya es consciente de las sensaciones que anticipan las ganas de ir al baño; por ejemplo, puede concentrarse y quedarse quieto antes de una deposición o esconderse tras un sillón. Ayúdalo a asociar las sensaciones y funciones corporales con las acciones y las palabras adecuadas para que pida ir al baño. Es muy importante que no olvides felicitarlo cuando lo logra. Recuerda que la adquisición de la capacidad para controlar los esfínteres está estrechamente relacionada con la construcción de la autoestima y del sentimiento de seguridad y autoconfianza en los niños. Los padres tenemos que acompañar a nuestros hijos en este aprendizaje, ofreciéndoles contención y seguridad y reforzándoles sus logros. De esta manera, los ayudaremos a evitar que el niño sufra regresiones y tenga problemas de control de esfínteres en una etapa posterior de su desarrollo.

¿Lo sabías?

La enuresis es la emisión diurna o nocturna de orina en lugares no apropiados cuando el niño ya tiene una edad en la que debería haber adquirido el control de esfínteres, sin que exista algún problema físico. Cuando el niño ya controlaba sus esfínteres y vuelve a orinarse, se denomina enuresis secundaria.

22

¿No es muy pequeño aun para hacer cosas solito?

Tu hijo está viviendo un momento de transición en el que ha empezado a dejar de ser un bebé para transformarse en un niño. Debes saber adaptarte a esta nueva etapa y modificar tus actitudes en el cuidado del pequeño. Si sigues actuando como si todavía fuese un bebé que requiere tu asistencia de manera permanente, no lo estarás ayudando a la construcción de la autonomía y el sentimiento de seguridad en sí mismo, imprescindible en el desarrollo emocional de toda persona. Asegurándonos que no corren riesgos físicos, debemos permitirles a los niños explorar el mundo que los rodea, que intenten resolver tareas sencillas y relacionarse con otros niños y adultos, lo que contribuirá al conocimiento y manejo de las propias emociones.

23

Mi hijo quiere tocar todo lo que encuentra, ¿debo permitírselo?

Los niños deben tener la posibilidad de plantearse desafíos acordes a cada etapa de crecimiento, que les permitan desarrollar sus habilidades (cognitivas, emocionales, sociales, motoras), aprender por "ensayo-error", identificar sus fortalezas y reconocer sus puntos débiles. La exploración del mundo que los rodea, tanto físico como social, forma parte de estos aprendizajes fundamentales. Por lo tanto, debes dejarlo que experimente, siempre y cuando no esté en riesgo su seguridad física. Todo comportamiento sobreprotector de los padres es inadecuado y obstaculiza el desarrollo integral del niño.

24

¿Por qué mi hijo, que era un "angelito", ahora llora y tiene rabietas?

A partir del año y medio y hasta los tres años (a veces hasta los cinco años) tu hijo mostrará que tiene su carácter y, en determinadas ocasiones, recurrirá a comportamientos inapropiados para afirmar su personalidad. Esto implica que ya no será todo el tiempo el bebé encantador al que estabas acostumbrada. Lo que puedes esperar en esta etapa son cambios repentinos de humor, signos de insatisfacción o molestia y excitación motriz (se tira al piso, patalea, llora y muerde) ante alguna frustración o cuando intentas ponerle límites. Pero no debes desesperarte ni perder la paciencia.

25

¿Qué son los berrinches?

Entre el año y medio y los tres años, la mayoría de los niños atraviesa una etapa que, por lo general, es transitoria y acotada a este periodo de la vida, y que se caracteriza por la aparición de los denominados berrinches o rabietas.

Los niños comienzan a rebelarse, a decirnos "no", a negarse a cumplir nuestras solicitudes, a querer imponer con toda su energía la satisfacción de sus deseos y necesidades sin importarles nuestra opinión.

Aunque te resulte extraño, lo primero que debes saber es que los berrinches son necesarios y tienen una función muy importante en el crecimiento de tu pequeño.

Antes que nada, tienes que comprender que la rabieta no es un acto de fastidio o agresión de tu hijo hacia ti o hacia su padre, sino que es la manera que encuentra el niño, dentro de sus posibilidades, de ejercer su voluntad y de descargar tensión. Estos estallidos de malhumor son causados por alguna frustración, en una edad en la que el niño no tiene capacidad de controlar sus impulsos ni tampoco de aceptar la postergación de sus deseos.

No debes interpretar el berrinche como un acto de provocación hacia ti, o como una forma de expresión de ingratitud o rechazo. Para convencerte, piensa solamente que no eres la única madre que tiene este problema. Alcanza con observar la conducta de otros niños de entre un año y medio y tres años (a veces, lamentablemente, esto se prolonga aun más) y verás que todos los niños hacen berrinches... y todos los padres los sufren.

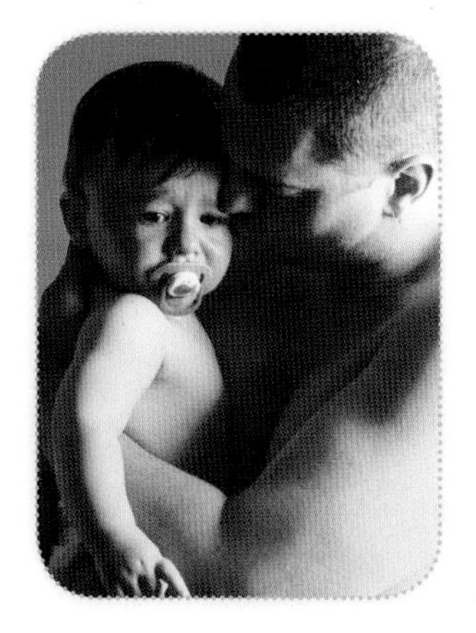

Los berrinches son intentos de autoafirmación personal.

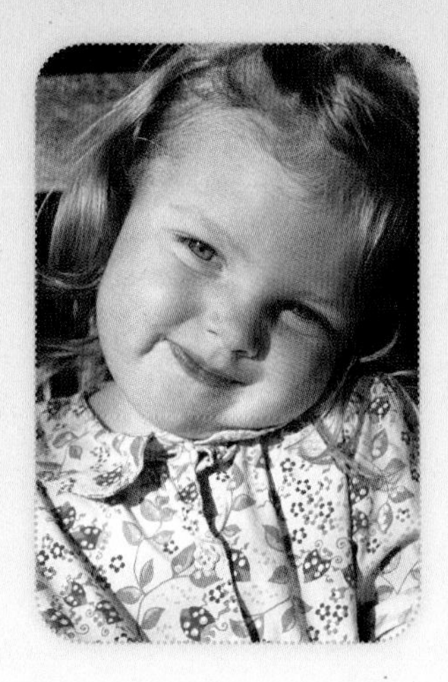

Entre la autonomía y la dependencia

Con la madurez psicomotora llegan los primeros signos inconfundibles del deseo de independencia de nuestro hijo. De esta manera, se inicia una etapa marcada por la ambivalencia entre la autonomía y la dependencia que nos traerá alegrías pero también algunas preocupaciones...

Una etapa ambivalente

Al aproximarse el segundo año de vida, el niño empieza a ser conciente de sus capacidades, siente orgullo a medida que va desarrollando y descubriendo sus posibilidades de actuar y disfruta enormemente de la creciente destreza de su cuerpo y sus manos. Estas muestras de autonomía son un indicio de un desarrollo saludable.

Entre los 2 y 3 años, se adquieren ciertos hábitos, por ejemplo, bañarse y comer solos, que les permiten a los niños conquistar cada vez más autonomía. Estas adquisiciones dependen también de la actitud de los padres.

Sin embargo, también es esperable que tu hijo oscile entre formas de conducirse de manera autónoma y otras donde pareciera volver atrás y se convirtiera nuevamente en un bebé que necesita tu ayuda de manera constante.

Es normal que te sientas un tanto desconcertada: por un momento, tu niño muestra rasgos notables de autonomía (y rechaza tu asistencia) y en otros, retorna a un estado de dependencia, en el cual requiere desesperadamente de tu auxilio para efectuar alguna actividad.

Esta alternancia entre autonomía y dependencia, que a veces se produce de un instante a otro, es absolutamente normal y comprensible.

Aceptar que nuestro bebé está dejando de serlo

Hay madres y padres que tienen serias dificultades para encarar la transición desde el cuidado del bebé hacia las necesidades de un niño en crecimiento. Continúan respondiendo a todas sus demandas de forma inmediata, procuran por todos los medios evitar frustraciones y tropiezos, satisfacen las necesidades antes incluso de que el niño se percate de ellas, resuelven por su hijo las dificultades que se le presenten en cualquier juego y/o situación. Estos comportamientos parentales coartan la posibilidad de desarrollo emocional, de exploración y conocimiento del mundo físico, emocional y social; también dificultan el autoconocimiento de las propias emociones, tanto las gratas como las insatisfactorias y, por lo tanto, tiene consecuencias perjudiciales para la madurez de los niños.

La alegría de crecer

El niño siente orgullo e ímpetu en sus nuevas destrezas y capacidades que le permiten manejarse de forma más independiente. Pero esta nueva posibilidad también despierta cierta cuota de ansiedad y temor ante este mundo nuevo por descubrir, tanto en lo que concierne a su propio cuerpo como a su medio circundante. El niño necesita cerciorarse de que, en este proceso de independencia, está y estará siempre acompañado.
En este momento, en el que tu hijo está dando los primeros pasos en la construcción de su autonomía, es necesario que lo acompañes sin ahogar sus ansias de exploración e independencia. La aparente paradoja de esta etapa es que, cuanto más quiere separarse de ti, más necesita sentirse seguro y contenido en este proceso nuevo en el que se enfrentará a lo desconocido.

26

¿Cuánto dura un berrinche?

Normalmente, estos estallidos suelen durar pocos minutos, aunque por la intensidad de la situación te parezcan eternos. Sin embargo, hay niños que prolongan sus berrinches más allá de esta duración promedio, muchas veces como respuesta a una actitud equivocada de los padres que, en lugar de calmarlos, incrementan la violencia. Pero en la mayoría de los casos, una vez que la angustia cesa y que el niño ha podido descargar la tensión que lo agobiaba, el berrinche termina.

27

¿Puedo hacer que no tenga berrinches?

No es posible evitar completamente los berrinches, aunque sí puedes anticiparte y atenuar el estallido. La etapa de los berrinches es un ciclo transitorio e ineludible para el desarrollo emocional de los niños. Las rabietas, además, indican que tu hijo ha dejado de obedecer a tus órdenes de manera espontánea e incondicional. Esto quiere decir que ya no te resultará tan sencillo lograr que se porte bien o que haga lo que le pides. ¡Y bienvenido que así sea!
El manejo de los berrinches requiere un proceso educativo basado en el afecto y la comunicación. Si apelamos a la dureza y a las exigencias rígidas e intransigentes, tendremos por resultado o bien la intensificación de conductas rebeldes o la sumisión. Y ninguno de ellos lleva a la conquista de la autonomía y de la seguridad en sí mismo.

Es importante que mantengas la calma ante los berrinches de tu hijo.

28

¿Por qué se enoja más cuando le digo "no"?

La voluntad de control de los niños, entre el año y medio y los tres años de edad, los lleva a actuar como rebeldes sin causa: de un día para el otro, se comportan de manera extrema y descontrolada; sufren ataques de ira, destruyen objetos y lloran expresando una intensa angustia. Estas escenas son muy comunes cuando los padres tratamos de poner límites y de ir educando a los niños en el autocontrol de su propia conducta. Si bien a veces estos comportamientos son muy irritantes, te recomendamos que evites reforzar el sentimiento de frustración que, en última instancia, explica esta forma de actuar. Esto implica que debes buscar la manera adecuada para poner límites sin incrementar la cuota de agresividad de tu hijo.

29

¿Existe la "crisis de los tres años"?

Los especialistas en estudios de la infancia denominan "crisis de los tres años" a la etapa comprendida entre los 2 y 3 años en la que la conducta de los niños se caracteriza por el negativismo, la desobediencia y la vehemencia. Esta es una crisis de crecimiento y, por lo tanto, tiene un rol fundamental en el largo proceso de maduración afectiva e intelectual y de formación de la personalidad. Es un momento en el que ocurren cambios muy significativos en la vida de los niños y en el que la tendencia a la autonomía choca con la persistencia de la dependencia. La actitud de los padres tiene una gran influencia en cómo los pequeños superan esta etapa.

¿Lo sabías?

Una manera de interpretar los berrinches es tomarlos como un llamado de atención o un pedido de puesta de límites que, a su manera, hacen los niños. Por eso, es muy importante no ser condescendiente ni darles lo que piden, esto no hará que dejen de hacer rabietas, al contrario, los alentará a transformar esta conducta en el medio privilegiado para imponer su voluntad.

30

¿Hay alguna receta para enfrentar las rabietas?

No hay una única manera de enfrentar los berrinches. Cada madre o padre deben tratar de conocer lo que produce la rabieta y cómo tratar de calmar a su pequeño. Sin embargo, existe una recomendación que es válida en todos los casos: ser paciente.

Para empezar a comprender este comportamiento de nuestro hijo, tenemos que partir de que los berrinches o rabietas se explican porque, en esta etapa, los niños aun no han desarrollado la capacidad de autocontrol de sus conductas. Sus emociones los desbordan y no pueden manejarlas. Sabiendo esto, los padres no debemos volvernos agresivos si le pedimos al niño que se calme y no obtenemos ningún resultado. La manera más adecuada de actuar es tener paciencia y tratar de aportar tranquilidad para que termine el berrinche.

La actitud que debes tomar es mantener bajo control la situación, lo que incluye controlarte a ti misma. Si sientes que estás perdiendo la calma, lo más aconsejable es alejarte momentáneamente hasta recuperar la tranquilidad.

Aunque estemos enojados, nunca debemos dejar de demostrarles afecto a nuestros hijos.

¿Lo sabías?

Según el psicoanálisis, entre el año y medio y los tres años, los niños atraviesan una etapa madurativa llamada “sádico-anal”, en la cual la forma que encuentran para afianzar su personalidad es por medio de la oposición. El mayor control del cuerpo, sobre todo el control de esfínteres, le da a los niños una sensación de poder que buscan ejercer para imponer su voluntad a los adultos. La etapa también coincide con la dentición, por lo que es muy común que los niños muerdan todo lo que encuentran.

Para tener en cuenta

Entre los 2 y los 3 años de edad se produce un avance importante en la adquisición del sentido de sí mismo, es decir, en el desarrollo de la autoconciencia. Esto le permitirá al niño reconocer sus propias acciones, intenciones y capacidades, confirmándole que es una persona separada de sus padres y del resto del mundo.

31

¿Es normal que actúe como un pequeño "tirano"?

Las reacciones de tu hijo no se deben a que sea un niño caprichoso. La necesidad de ejercer el control de los niños de esta edad no se limita solamente a su cuerpo (como el control de esfínteres) sino también a los objetos, las personas y al manejo de las situaciones. Es muy común, entonces, que haga o que sea para imponer su voluntad. Ya sea para conseguir un juguete, para lograr que pongas en la televisión su programa favorito o para que le des de comer eso que tanto le gusta, tu pequeño intentará salirse con la suya. En este periodo también tratará de controlar a dónde vas, con quién estás, cuándo volverás a casa o por qué haces determinadas cosas. Debes comprender que esta voluntad de control no implica que tu hijo sea caprichoso sino que es parte de un momento evolutivo necesario.

32

¿Tengo que complacerlo para que ponga fin al berrinche?

Muchas veces, sobre todo si estás en un espacio público y tu hijo tiene una rabieta intensa, podrás pensar que, para que ponga fin a un berrinche, lo mejor es darle lo que pide. Esta es una decisión equivocada. Si cedes ante las rabietas le estarás dando a entender que esa es la forma correcta de obtener lo que quiere. Las consecuencias pueden ser graves, porque si en esta etapa demuestras tener dificultades para decir "no" y para establecer límites, muy difícilmente puedas hacerlo más adelante. Si hay un componente central en la educación y maduración de tu hijo, además del afecto, claro está, es la puesta de límites.

Pruébalo... ¡funciona! 

Para ayudarlo en el control de esfínteres

Reconocer las señales

Cuando recién comienza el proceso, debes estar atenta a las señales del niño, dado que todavía su capacidad de anticiparse para pedir ir al baño es escasa.

Hazle preguntas positivas

Siempre pregúntale en forma positiva (¿quieres hacer pipí?). Si empleas una pregunta negativa, casi con seguridad te responderá que no.

Dirígete al niño con un tono de voz firme, sin gritar pero transmitiendo seguridad. Esto le dará la idea de que se trata de algo serio.

Establece una rutina

Trata de fijar una rutina para ir al baño, sobre todo en el caso de las evacuaciones, tomando en cuenta las horas de sueño y la alimentación.

Dale confianza

Desde que empieza el aprendizaje muéstrale confianza en que pueda ir al baño solito. Así estarás contribuyendo al desarrollo de la conducta autónoma.

Elógialo y felicítalo cuando logra hacer sus necesidades en la bacinilla (bacinica).

Ten paciencia

No te muestres decepcionada si pasa varios minutos en la bacinilla (bacinica) sin ningún resultado. Simplemente levántalo y espera la próxima oportunidad.

Los padres debemos contribuir al desarrollo de la autonomía y la autoconfianza de nuestros hijos.

La edad del "no"

Con la conquista de nuevas habilidades motoras, lingüísticas y emocionales, nuestro hijo ha emprendido el camino de la autonomía. Este proceso de separación e independencia implica la aparición de dos conductas de autoafirmación características, que los especialistas denominan oposicionismo y negativismo.

A todo dicen que "no"

¿A qué padre no le ha sucedido que su pequeño empieza a decir "no" a todo lo que le solicita? Esto se debe a dos conductas propias de los niños a partir del año y medio o dos años y hasta al menos los tres años, que los especialistas han denominado "negativismo" y "oposicionismo". Estas consisten en que los niños rechazan toda orden o pedido de los padres, o desarrollan conductas incontrolables, como los famosos berrinches. Pero a no desesperarse. Este es un momento evolutivo normal, que indica que nuestro pequeño está intentando independizarse.

Una etapa difícil

Esta es una etapa verdaderamente difícil, porque en reiteradas oportunidades el comportamiento de los niños resulta imposible de manejar.

Es muy frecuente que rechacen con fuerza los pedidos de los padres y que intenten imponerse. También pueden rechazar nuestra ayuda cuando tratan de resolver alguna tarea que les crea problemas o dificultades. La situación aun es más complicada cuando estos arranques ocurren en espacios públicos. Tenemos que armarnos de paciencia para superar con éxito estos momentos de tensión.

Negativismo y autonomía

Muchas veces nos sentimos agobiados o nos enojamos después de haber soportado en un mismo día varios berrinches o ataques de ira de nuestro hijo. Es lógico que tengamos esas sensaciones. Sin embargo, para no entrar en desesperación, debemos recordar siempre que esta etapa oposicionista es transitoria y cumple un rol fundamental en el proceso de separación del niño con respecto a sus padres y, por lo tanto, es imprescindible para la construcción de la autonomía personal.

También debemos tener en cuenta que, a esta edad, los niños todavía son inmaduros y no pueden poner en palabras sus sentimientos, ni pensar de manera racional como lo hacen los adultos. El comportamiento sigue siendo su medio privilegiado de expresión.

Medidas para disminuir el negativismo

Si bien no podemos evitar que el niño atraviese esta etapa oposicionista, existen algunas actitudes que ayudan a mantener bajo control el negativismo. Veamos algunas:

- Cuando le indiques cómo comportarse, no debes gritarle ni hablarle con tono enojado.

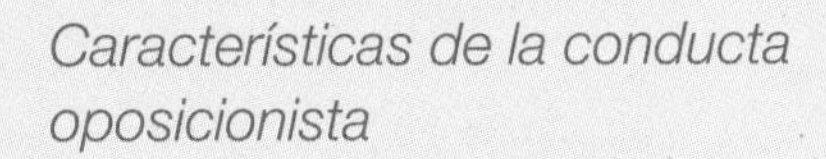

Características de la conducta oposicionista

- *El niño desobedece o rechaza las órdenes de sus padres o cuidadores.*
- *Intenta imponer su voluntad y hacer u obtener lo que desea, más aun cuando sus padres tratan de ponerle límites.*
- *Suele rechazar la ayuda de los padres para realizar cualquier tipo de actividad.*
- *Cuando los padres le dicen que no, llora, grita y puede llegar a golpear.*
- *En el caso de los más pequeños suelen morder y expresar cierta agresividad.*

- Identifica en la rutina cotidiana las cosas que le agradan y las que le desagradan para anticipar sus comportamientos.
- Si el niño no obedece de manera inmediata una orden, espera un tiempo antes de reiterarla.
- Cuando se acerca el momento de hacer algo que no le gusta, ofrécele la posibilidad de elegir, así no lo vive como una imposición. Por ejemplo, si a tu hijo no le gusta bañarse, en lugar de decirle "Ve a tomar un baño", pregúntale "¿Prefieres bañarte ahora o después de tomar tu merienda?".
- Es conveniente anunciarle con anticipación si debe interrumpir alguna actividad placentera, para que se vaya preparando.

33

¿Cómo debo actuar para fortalecer su autonomía?

Es fundamental crear en la familia condiciones favorables para el desarrollo de la autonomía. Para lograrlo, lo primero que debes hacer es comenzar a aceptar que tu hijo está dejando de ser un bebé y que, paulatinamente, dejarás de ser la referencia excluyente de su mundo. Debes aceptar que está creciendo, que se está diferenciando de sus padres, que ha iniciado su largo proceso de construcción de autonomía y que, en ese camino, tendrán logros y tropiezos. El desarrollo de la autonomía incipiente de este período es central y si, por angustia o por mantenerlo pegado a nosotros, obstaculizamos este proceso, estaremos alentando sin quererlo sentimientos de inseguridad, de duda y hasta de vergüenza.

Es muy importante que los padres no confundamos las conductas negativistas de los niños con expresiones de mal carácter. El decir "no" expresa la necesidad de autonomía y de afirmación personal frente a los adultos.

34

¿Es normal que a veces me sienta desconcertada?

Sin dudas, el inicio de la construcción de la autonomía es uno de los periodos de crecimiento de los hijos que puede provocar en los padres un poco de desconcierto, agotamiento y pérdida de paciencia. Pero también constituye un momento clave en la definición de nuestro rol como padres y en la disciplina de los pequeños. Tenemos que ser concientes de que nuestra ansiedad suele potenciarse en la medida en que nos damos cuenta de que nuestros hijos ya comienzan a dar los primeros signos de no querer ayuda y de poder valerse por sí mismos.

35

¿Cómo influye la adquisición del lenguaje en la evolución de mi hijo?

El desarrollo del lenguaje implica una nueva manera de construir relaciones sociales. Cierta fluidez y claridad en el habla le permiten al niño comunicarse de otra forma, tanto en su medio familiar como en el extra familiar. Según el ritmo evolutivo de cada niño, entre los 2 y los 3 años de edad, la mayoría de los pequeños comienzan a poder utilizar los pronombres personales, en particular el "yo". Tu hijo te puede sorprender diciendo, por ejemplo, "yo puedo tomar solo la cuchara", cuando tratas de darle de comer; o bien haciendo referencia de manera directa a sus necesidades, deseos o emociones, con frases como: "no quiero sopa", "quiero dulces".

Esta nueva posibilidad de expresarse en primera persona marca un punto de inflexión con la etapa anterior. El niño empieza a mostrarse como un individuo con deseos, necesidades y preferencias, pero además con voluntad de lograr o imponer lo que desea y evitar lo que rechaza. De todas maneras, tu hijo continuará apelando a sus comportamientos para expresarse respecto de lo que le sucede; por ejemplo, seguirá utilizando el llanto y/o la excitación motriz para indicar cansancio o molestia. Aun necesita mucho de tu auxilio para poner en palabras sus emociones y sentimientos. Es importante que lo ayudes a expresarse verbalmente y que tengas mucha paciencia para comprender qué quiere transmitir. Con esta actitud estarás contribuyendo a su evolución emocional.

Los padres debemos tratar de poner en palabras lo que el niño siente. Esto le genera seguridad y tranquilidad, y constituye un componente básico en el proceso del desarrollo de la autonomía.

Consejos importantes 

Cómo actuar frente a un berrinche

La mayoría de las veces, lo que debes hacer es tan solo acompañar a tu hijo, estar cerca de él cuando se despliega el berrinche; siempre procurando que en su arrebato no se dañe a sí, ni a los otros que están cerca suyo.

A medida que vas conociendo los indicios o situaciones que sabes anticipan el desencadenamiento del berrinche, puedes intentar evitarlo o atenuarlo a partir de la estrategia de la distracción, es decir, alejar la atención de lo que produce el estallido.

No hagas promesas para más adelante ("ahora no, pero en la tarde o mañana sí"); los niños pequeños no toleran la demora en la satisfacción de su deseo.

No pierdas nunca el control, aunque te sientas al borde de un "ataque de nervios". En esos casos, es preferible alejarte unos minutos de tu hijo y tratar de calmarte.

No apeles al castigo ni adoptes una posición demasiado intransigente, sin tratar de convencerlo, porque de esta manera solo conseguirás generar mayor angustia, tensión e inseguridad.

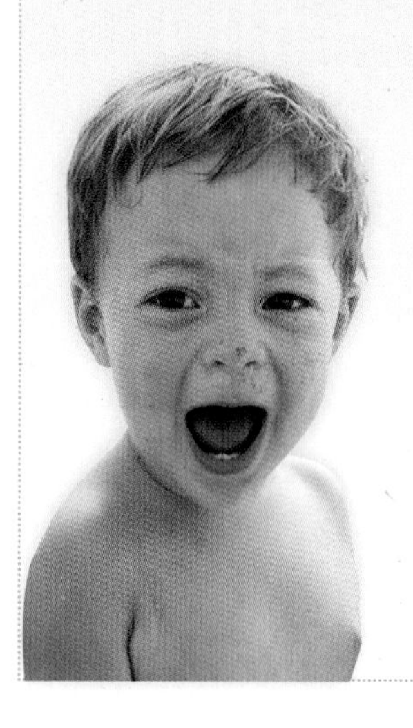

La etapa comprendida entre los 2 y los 3 años se caracteriza por la experimentación con los objetos y por el entrenamiento del cuerpo en su capacidad de expresión y manipulación.

APRENDER A QUERERSE...

¿Cómo lo ayudo a desarrollar su autoestima?

La autoestima es el valor que nos atribuimos y la aceptación de nuestra forma de ser. El vínculo que los padres establecen con sus hijos es uno de los pilares de la construcción de la autoestima. Los niños amados, respetados y valorados por sus padres se sienten seguros y confiados, y tienen una imagen positiva de sí mismos. Por lo tanto, tienes una gran responsabilidad para ayudar a tu hijo a desarrollar un nivel adecuado de autoestima.

La importancia de la autoestima

36

¿Qué es la autoestima?

La autoestima refiere al conjunto de valoraciones que tenemos sobre nosotros mismos y sobre cómo somos; estas incluyen tanto los aspectos corporales como los intelectuales y emocionales. Como producto de estas valoraciones, construimos una imagen interna que se combina con cómo nos ven las demás personas, qué opinan de nosotros y de nuestras actitudes. A veces, la imagen interna y la externa concuerdan en términos generales, pero muchas otras no, dando lugar a conflictos interpersonales. Una visión objetiva de lo que somos ayuda a ver nuestras potencialidades y nuestras limitaciones, y a establecer vínculos sanos con los demás. La autoestima también se asocia con la autoconfianza y el respeto hacia uno mismo.

37

¿Los niños pequeños tienen autoestima?

La autoestima es el resultado de un proceso de construcción que comienza durante las primeras etapas de la vida, con el vínculo que estableces con tu bebé. La construcción de la autoestima en la infancia es decisiva para el desarrollo de una vida adulta feliz y segura. En el nivel de autoestima infantil intervienen las relaciones interpersonales (primero con los padres y la familia, luego con compañeros y otras personas del mundo social), las experiencias de vida, los sentimientos y los pensamientos; aunque también juega un rol importante el temperamento con el cual nace el niño.

La autoestima es producto de un largo proceso de construcción.

38

¿Cómo se construye la autoestima?

No existe una fórmula infalible para desarrollar un buen nivel de autoestima. Pero lo que seguro funciona es establecer una relación de afecto y confianza con tu hijo desde los primeros cuidados que le brindes.
Esto permitirá ir construyendo la sensación de seguridad, tan necesaria en el desarrollo de los niños. Así, estaremos sentando las bases de la autoestima sobre las cuales, en etapas posteriores de la vida, influirán maestros, amigos, pareja y otras personas del entorno. Uno de los mecanismos de construcción de la autoestima es la comparación con los demás. Otro aspecto importante es la opinión que tienen sobre nosotros las personas que valoramos.

39

¿El nivel de autoestima se mantiene constante a lo largo de la vida?

La autoestima no se construye en forma definitiva en un momento dado. En el transcurso de nuestras vidas, vamos experimentando situaciones positivas y negativas que impactan sobre nuestra autoestima. Sin embargo, una persona con una buena cuota de autoestima enfrentará un suceso negativo con la convicción de que es posible superarlo. Las personas adultas que no han tenido un buen desarrollo de la autoestima en su infancia y adolescencia, también pueden fortalecer su autoestima con experiencias y vivencias positivas en la etapa adulta, aunque esto requiere un mayor esfuerzo.

¿Lo sabías?

La autoestima, que no debe confundirse con el egoísmo, es fundamental para nuestra supervivencia emocional. El rechazo hacia nosotros mismos es una experiencia que produce mucho sufrimiento.

40

¿Qué pasa cuando un niño tiene una baja autoestima?

Tener un nivel adecuado de autoestima es uno de los elementos centrales para el bienestar emocional presente y futuro de tu hijo.
Sentirse seguro, competente, digno de ser amado, responsable, ser cuidadoso con las demás personas, son algunos de los aspectos personales que necesitamos para sentirnos bien y construir aquello que identificamos como felicidad. Un niño con baja autoestima se siente inseguro, desvalorizado frente a los otros, incapaz de afrontar o resolver situaciones nuevas y/o difíciles; es muy autocrítico y tiene serias dificultades para vincularse con otras personas. Suele ser tímido, poco sociable y con escasa creatividad. En algunas situaciones, ciertos niños con problemas de autoestima pueden comportarse de manera violenta.

41

¿La autoestima positiva puede transformarse en una visión no realista de uno mismo?

Cuando decimos que una persona ha desarrollado un nivel adecuado de autoestima no nos referimos a quienes no son capaces de identificar los aspectos de su personalidad que no les agradan y quisieran cambiar, o que creen que no tienen limitaciones o falta de competencia en algún aspecto de su desempeño o ámbito de la vida.
Quienes no reconocen ninguna falla, más que una autoestima positiva poseen una visión irreal de sí mismos, lo que es tan perjudicial como la desvalorización excesiva. Tenemos que aprender a convivir con los rasgos de nuestra personalidad que no nos gustan, tratando de cambiarlos o de mantenerlos bajo control.
Una autoestima adecuada implica una visión realista de lo que somos, reconociendo nuestras características buenas y agradables y las que no lo son, nuestras destrezas y competencias, pero también nuestras debilidades y limitaciones.

Los padres tenemos que aceptar y respetar a nuestros hijos tal como son y no como desearíamos que fueran.

42

¿Poner límites perjudica la autoestima?

Pensar que permitirle a tu hijo hacer lo que quiera aumenta su autoestima es totalmente equivocado. La puesta de límites, como condición para la autonomía y la seguridad personal, es indispensable para el desarrollo favorable de la autoestima de los niños. Indudablemente, ofrecerle a tu hijo un contexto con reglas claras y bien definidas es una forma de expresarle que es muy importante para ti y que procuras hacer todo lo posible para su crecimiento físico, emocional e intelectual. Sin embargo, esta educación con límites es solo un aspecto de la construcción de la autoestima. Junto con esto, existen otras condiciones, entre ellas, la aceptación, el respeto, el buen trato y el apego a las figuras familiares más significativas. Es muy importante saber que cualquier objeción que realices tiene que estar dirigida hacia la conducta de tu hijo y no hacia su persona. Por ejemplo, puedes considerar "mala" una acción, como romper deliberadamente un juguete de un hermanito, y rechazarla, pero de ninguna manera debes decir que tu pequeño es malo o que lo dejas de querer por lo que hizo. Todo lo que el niño pueda interpretar como una desvalorización hacia su persona de parte tuya perjudica su autoestima.

43

¿Cómo influye la autoestima en las relaciones con los otros?

La autoestima se vincula con el desarrollo de la empatía y de la sensibilidad hacia las necesidades y sufrimientos de otras personas. A la vez, implica la disposición a defender nuestros principios y valores y evitar ser manipulados por otros individuos.

Los niños con un adecuado nivel de autoestima suelen ser personas con vitalidad, buen ánimo, energía, deseos de aprender y experimentar nuevas situaciones (realizar nuevas actividades, conocer lugares, personas, etcétera), cumplir sus sueños y emprender por sí mismos cosas que nunca han hecho (por ejemplo, inventar juegos). Estas características, junto con una evaluación realista de sí mismos, les permitirá, desde pequeños, establecer vínculos afectivos de respeto hacia las personas que los rodean, sintiéndose seguros y confiados.

El desarrollo de la autoestima en la infancia

En la formación de la autoestima infantil son muy importantes las experiencias familiares y las expectativas que tienen los padres sobre sus hijos. Pero también inciden otros factores, como el temperamento del niño y la influencia de personas del medio social, como amigos y maestros.

Cada uno es como es

Todos tenemos rasgos que nos hacen únicos y que definen, en gran medida, la forma en que nos posicionamos ante las experiencias que nos toca vivir. Los niños también tienen sus características personales que los distinguen.
Es verdad que los padres tenemos que orientar y ayudar a nuestros hijos a cambiar o abandonar ciertos comportamientos que no son adecuados. Sin embargo, muchos padres no aceptan plenamente a sus hijos y pretenden modificar de raíz su forma de ser o su personalidad, simplemente porque les gustaría que el niño sea diferente.
Por ejemplo, quieren que su hijo sea callado, ordenado, pulcro, o que hable en voz baja, y desconocen que el niño tiene otro temperamento o forma de actuar.
Este rechazo implícito es absolutamente perjudicial para su autoestima.

Dos momentos clave

La infancia y la adolescencia son dos momentos clave para la construcción de la autoestima, ya que estas dos etapas, por los cambios acelerados que implican (físicos, emocionales y sociales), se caracterizan por un cierto grado de vulnerabilidad e inseguridad personal.
Durante estos dos periodos, tienen gran importancia la opinión y la forma en que nos ven los otros: en la infancia, la familia y las personas cercanas; en la adolescencia, el mundo de los pares.

La importancia de los primeros cuidados

Para un bebé el contacto físico con los padres, los primeros cuidados y las expresiones de afecto son experiencias fundamentales para ir adaptándose a un mundo que aun no conoce. Es muy importante que los padres tengan en cuenta que las caricias, la mirada, las palabras suaves o el sostén en brazos producen en los bebés una sensación de bienestar y seguridad que lo calman y reconfortan. Estas vivencias placenteras, como la de ser aceptado y cuidado con afecto, son los primeros eslabones en el largo proceso de construcción de la autoestima.

La aprobación de los padres

A partir del año y medio de edad, los niños son muy sensibles a la aceptación de los padres y buscan activamente su aprobación, que resulta absolutamente fundamental e indispensable para el desarrollo de la autoestima. Empiezan a ser conscientes de sus logros, que aumentan día tras día, y esperan que los padres los feliciten por lo que son capaces de hacer. Es una etapa de grandes cambios, en la que se inicia el camino hacia una mayor autonomía: los niños comienzan a controlar sus esfínteres, se desarrolla el habla y la habilidad motriz. Los pequeños empiezan a poner a prueba su capacidad para actuar sobre el mundo y a comprender la diferencia entre lo que se puede hacer y lo que no.
Por eso, además de esperar recibir felicitaciones de los padres por sus nuevas conquistas (control de esfínteres, habla, etc.), los niños también esperan que los padres establezcan límites y normas claras que permitan ir diferenciando lo que está bien y lo que no se debe hacer.

La autoestima en la etapa escolar

Con el ingreso a la escuela primaria, la valoración de los padres sigue siendo importante para la construcción de la autoestima de los niños. Sin embargo, en esta etapa comienzan a ubicarse en un lugar central las relaciones sociales fuera del medio familiar.
En la autovaloración influyen las relaciones con los pares, el rendimiento en la escuela y en alguna actividad extraescolar (por ejemplo, en algún deporte, en música, arte, etcétera), y el desarrollo de destrezas intelectuales y/o físicas. El gran desafío es aprender a aceptar las propias limitaciones y comprender que no siempre se puede ganar o tener razón.
En este periodo los niños se comparan con sus compañeros y mantienen entre sí relaciones de amistad y también de competencia.

44

¿Cómo son los niños con buen nivel de autoestima?

Aunque cada niño tiene su personalidad y su forma de ser, podemos decir que, en términos generales, hay ciertas características que suelen estar presentes en los niños que han desarrollado un nivel adecuado de autoestima. Algunas de las más fáciles de identificar son: la capacidad de hacer amigos; el entusiasmo ante nuevas actividades y desafíos; la creatividad, las ideas propias y la libre expresión de las emociones, ya sean agradables o desagradables (alegría, tristeza, enojo, furia, amor, etcétera); la tendencia a la cooperación y la aceptación de reglas que se consideran justas y razonables; el orgullo ante los logros y la aceptación de las frustraciones; el buen humor y la energía para establecer contactos sociales.

45

¿A qué señales debo prestar atención para saber si mi hijo tiene baja autoestima?

Los niños con baja autoestima, por lo general, son inseguros y no tienen confianza en sus capacidades. La desvalorización personal es producida por el rechazo propio a su forma de ser y el temor a que los demás también los rechacen. Entre las características personales más evidentes encontramos: insatisfacción, deseos de ser como otras personas, sentimientos de inferioridad con respecto a los pares; ideas despectivas sobre sí mismo (por ejemplo: "soy un tonto", "no sé hacer nada bien", "no me van a querer", "no voy a lograrlo"); sensibilidad extrema a las críticas y opiniones; dificultades para aceptar los fracasos y frustraciones.

46

¿Es cierto que algunas actitudes de los padres pueden debilitar la autoestima de los hijos?

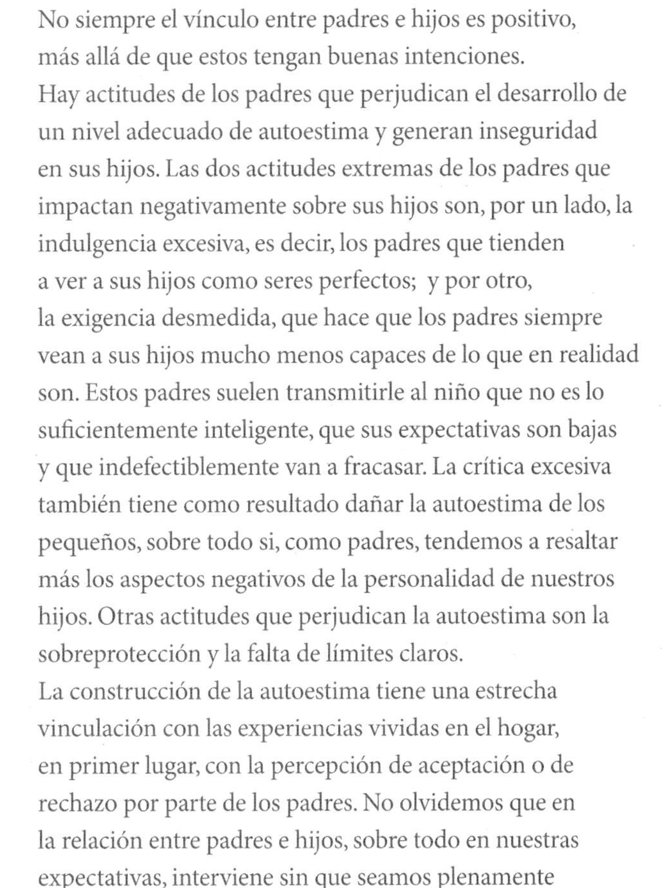

No siempre el vínculo entre padres e hijos es positivo, más allá de que estos tengan buenas intenciones.
Hay actitudes de los padres que perjudican el desarrollo de un nivel adecuado de autoestima y generan inseguridad en sus hijos. Las dos actitudes extremas de los padres que impactan negativamente sobre sus hijos son, por un lado, la indulgencia excesiva, es decir, los padres que tienden a ver a sus hijos como seres perfectos; y por otro, la exigencia desmedida, que hace que los padres siempre vean a sus hijos mucho menos capaces de lo que en realidad son. Estos padres suelen transmitirle al niño que no es lo suficientemente inteligente, que sus expectativas son bajas y que indefectiblemente van a fracasar. La crítica excesiva también tiene como resultado dañar la autoestima de los pequeños, sobre todo si, como padres, tendemos a resaltar más los aspectos negativos de la personalidad de nuestros hijos. Otras actitudes que perjudican la autoestima son la sobreprotección y la falta de límites claros.
La construcción de la autoestima tiene una estrecha vinculación con las experiencias vividas en el hogar, en primer lugar, con la percepción de aceptación o de rechazo por parte de los padres. No olvidemos que en la relación entre padres e hijos, sobre todo en nuestras expectativas, interviene sin que seamos plenamente conscientes, el deseo de tener un hijo ideal o perfecto.

¿Lo sabías?

Si un niño tiene baja autoestima, puede comenzar a evitar actividades que le generan inseguridad y ansiedad, por ejemplo, salir con compañeros, ir a clubes, o a eventos sociales. En esos casos, es importante que los padres tratemos de discernir si estas reacciones se deben a un problema de autoestima, o si existe alguna otra dificultad o conflicto. Para ello, tenemos que analizar cuidadosamente sus cambios de comportamiento y comprobar si existen indicios propios de una autoestima insuficiente.

Consejos importantes 

Estrategias para estimular la autoestima de tu hijo

Elogia a tu hijo ante algún logro o buen comportamiento; incluso cuando se esfuerza por conseguir algo sin obtener el resultado deseado.

Evita críticas que puedan vivirse como burlas o generen vergüenza: jamás debes insultarlo o decirle palabras humillantes, menos aun en presencia de otras personas.

Valóralo por lo que es y no por lo que te gustaría que fuera. Debes respetarlo independientemente de si cumple o no las expectativas que tienes sobre él.

Pon el acento en "lo que se puede hacer" en lugar de enfatizar lo que "no se debe hacer". Por lo general, los padres tendemos a decir NO con mucha más frecuencia.

Permite que intente resolver situaciones que no impliquen riesgos: por ejemplo, encastrar o unir piezas de un juego, desatar un nudo, vestir a una muñeca, dirimir una discusión con un amigo. Solo debemos intervenir cuando solicita nuestra ayuda. Cada vez que logran resolver un problema (por más mínimo que se vea ante nuestros ojos), los niños ganan confianza en sus propias capacidades.

Ayúdalo a reconocer sus capacidades y destrezas y a expresarse de manera positiva respecto a sí mismo. También a abandonar creencias erróneas que muchas veces tienen los niños: por ejemplo, que no son tan inteligentes como los demás, que no saben hacer bien determinadas cosas, o que son feos.

Los padres tenemos una gran responsabilidad en el desarrollo de la autoestima positiva de nuestros hijos.

Los niños y la inteligencia emocional

Desde hace varios años, se viene prestando atención al rol de los sentimientos y las emociones en el desarrollo de la inteligencia. Así nació el concepto de inteligencia emocional, que abarca aspectos cognitivos y afectivos. Los padres podemos hacer mucho para alentar en los niños el desarrollo de esta inteligencia.

¿Qué es la inteligencia emocional?

En términos muy sencillos, la inteligencia emocional consiste en la capacidad de manejar de forma adecuada nuestros sentimientos y emociones, y en ser capaces de comprender a los demás. Según esta nueva definición, la inteligencia ya no se concibe, de manera excluyente, como el desarrollo de coeficientes intelectuales, la adquisición y dominio de los conocimientos, la rapidez mental y/o el éxito académico, sino que las emociones, los sentimientos, los comportamientos y pensamientos son pilares fundamentales en el desarrollo cognitivo, afectivo y social de todo ser humano; considerados también como aspectos imprescindibles en el bienestar y en la adaptación al medio social de pertenencia.

La importancia de las emociones

El desarrollo de la inteligencia emocional es fundamental para que los niños se sientan seguros, felices y confiados. Desde este punto de vista, las habilidades sociales

y emocionales son aun más importantes que un buen nivel intelectual o un elevado coeficiente de inteligencia, al momento de resolver problemas y dificultades. Los niños que tienen capacidades para manejar la frustración, controlar los impulsos, comprender las propias conductas y emociones, vincularse con los demás, desarrollar empatía con los otros, y una aceptable autoestima, ven aumentadas sus probabilidades de tener éxito en la vida –que no es sinónimo de realización material y/o económica– y de enfrentar airosamente las adversidades y problemas.

¿Somos emocionalmente inteligentes desde el nacimiento?

Muchos especialistas consideran que la inteligencia emocional se desarrolla sobre la base de las experiencias y los vínculos que se construyen desde la infancia.

La estimulación y las expresiones de amor por parte de los padres, producen en los niños efectos positivos, tanto afectivos como cognitivos y sociales. La perseverancia, el optimismo, la creatividad, la superación de los obstáculos, y el dominio de las conductas y de las emociones, son elementos constitutivos del desarrollo de la inteligencia emocional; aunque no necesariamente forman parte del bagaje genético que se porta desde el nacimiento.

El rol de los padres, primero, y luego el de la escuela, son de importancia fundamental en el desarrollo afectivo de los niños, incidiendo positivamente en su madurez cognitiva general, en su autonomía y en sus habilidades sociales para manejarse en la vida cotidiana.

Estimular y respetar los ritmos de cada niño

En cada momento evolutivo, los niños tienen determinadas potencialidades y necesidades. La forma en que reaccionan ante la información que les queremos transmitir y los contenidos que les enseñamos, depende también de la edad, al igual que de la motivación para aprender. Debemos tener esto presente para poder hacer una evaluación acertada de qué aprendizajes podemos estimular en cada etapa de la vida.

Las habilidades sociales, la autoconfianza, la capacidad para resolver problemas y superar los obstáculos y cierta cuota de felicidad, son componentes muy importantes en el desarrollo de las personas y en las probabilidades de desempeñarse exitosamente en la vida.

47

¿Por qué la autoestima ayuda a formar personas autónomas?

La capacidad de evaluarnos de manera realista implica un nivel adecuado de autoestima. Este se expresa en la confianza que tenemos en nosotros mismos, en nuestras capacidades, en el desempeño en distintos ámbitos de la vida y en nuestras relaciones afectivas. Esta confianza supone también admitir el hecho de que siempre que actuamos, existe la posibilidad de equivocarnos, sabiendo que podemos aprender de nuestros errores.

Quien se siente seguro también se siente libre en su forma de ser: no teme experimentar nuevas situaciones, conocer y relacionarse con nuevas personas, y moverse con seguridad en distintos contextos y circunstancias.

Si desde la infancia los niños aprenden a reconocer sus potencialidades y también sus limitaciones, podrán actuar con seguridad. Esto significa que el temor a equivocarse no los paralizará y tampoco se sentirán derrotados cuando cometan algún error. De esta manera, serán capaces de tomar sus propias decisiones. Llegada la adolescencia, la autoestima positiva ayuda a los jóvenes a protegerse de conductas de riesgo, como las adicciones, que por lo general son inducidas por el grupo de pares o amigos.

Los padres que aceptan a sus hijos tal como son y respetan su forma de ser, contribuyen a que los niños se valoren y se respeten a sí mismos y a los demás.

PERSONALIDAD Y AUTONOMÍA

Pequeños en crecimiento

La etapa comprendida entre los 3 y los 6 años se caracteriza por un importante avance en el desarrollo del dominio del cuerpo y el lenguaje. Tu hijo ya ha conquistado herramientas de autonomía pero aun no ha construido una imagen del todo real de sí mismo ni del mundo. Es el momento en que elaborará teorías ingeniosas y divertidas para explicar los fenómenos que acontecen a su alrededor. Estos progresos acompañan la constitución de la personalidad del niño.

Niños autónomos y seguros

48

¿Por qué quiere hacer cada vez más cosas sin mi ayuda?

El desarrollo de la motricidad fina y gruesa hace que tu hijo se torne cada vez más independiente de tu ayuda, ya que el dominio corporal le da mayor seguridad, y la evolución en otras áreas posibilita la resolución de forma autónoma de necesidades y tareas cotidianas: ir solo al baño, vestirse y desvestirse, lavarse cara y los dientes, entre otras muchas actividades.

Junto con la madurez biológica y motriz que permite estas nuevas adquisiciones, la posibilidad de realizar cada vez más cosas por su propia cuenta le proporciona al niño un gran placer psicológico, que alienta a seguir avanzando en nuevas conquistas.

Notarás que entre los 3 y 6 años tu hijo desarrollará en forma notable el dominio de movimientos como: correr y detenerse abruptamente, saltar, lanzar y atrapar una pelota, pedalear un triciclo, subir la escalera alternando los pies, etcétera. Hay mucha soltura y espontaneidad, y una necesidad por probar nuevas destrezas corporales, lo que requiere que te mantengas muy atenta y, sin coartarle sus deseos, evites las proezas físicas que pueden resultar peligrosas para su integridad (por ejemplo treparse o arrojarse desde alturas elevadas).

Además de los grandes movimientos corporales que comprenden la motricidad gruesa, tu niño avanzará de manera notable en la adquisición de movimientos más específicos, precisos y controlados, que corresponden a la motricidad fina.

Estas nuevas capacidades se evidencian, en particular, en el progreso del dibujo y el manejo correcto de tijeras, cuchillos, cepillos de dientes, lápices, vasos, etcétera. Esto le permitirá realizar actividades cotidianas sin demasiada ayuda ni supervisión permanente.

La madurez física e intelectual contribuye al desarrollo de la autonomía.

49

¿Qué hace que se ponga tan contento con cada nuevo avance?

La maduración psicomotriz implica también cuestiones vinculadas a la formación de la seguridad en sí mismo y a la autonomía. Cada pequeño logro que alcanza tu hijo constituye para él una gran proeza y una notable contribución al desarrollo de su autoestima.
Esto nos plantea un gran desafío como padres, en la medida en que nos vemos interpelados a transformar los cuidados hacia nuestros hijos en función del reconocimiento de una creciente autonomía respecto a nosotros.
Nuestra tarea es enseñar y acompañar el aprendizaje de las habilidades cotidianas, para luego permitir que el niño las realice de forma autónoma.

50

¿Debo dejar que se equivoque aunque me dé cuenta antes?

Aunque no lo creas, es muy importante dejar que, desde muy pequeño, tu hijo tome sus decisiones y se equivoque. Si bien puede sentirse un poco frustrado, esta es la manera en que aprenderá a evaluar las opciones que tiene para resolver un problema o encarar una situación. El límite que debes respetar es cuidar su seguridad y acompañarlo en caso de que se angustie ante las dificultades. Si tomas una posición de cuidarlo excesivamente, el niño podría sacar la conclusión de que todo es peligroso y, por lo tanto, adoptar una actitud temerosa y pasiva. Por el contrario, si le permites este espacio de libertad, tu hijo internalizará las normas de conducta y avanzará en su autonomía. De esta manera, no necesitará el refuerzo de tu presencia permanente para saber cómo actuar.

¿Lo sabías?

El sentimiento creciente de autonomía de tu hijo coexiste con el surgimiento de miedos, pesadillas y terrores, que requieren de tu acompañamiento, comprensión y cuidado. El secreto es conseguir el delicado equilibrio entre cuidarlo y, a la vez, no sobreprotegerlo para que tenga libertad para explorar su cuerpo y sus habilidades.

51

¿Hay peligro de que pierda el control?

Muchos padres sienten temor de perder el control ante la creciente autonomía que desarrollan los niños, a partir de la madurez psicomotriz y cognitiva adquirida. Eso hace que tengan actitudes restrictivas con los niños y que no les permitan ejercitar y poner a prueba sus nuevas capacidades. Incluso algunos padres insisten en seguir asistiendo a los niños en tareas que ya pueden resolver solos o los tratan como si fueran más pequeños.

Al querer evitar males mayores, como la posibilidad de algún golpe, o que el niño no haga la tarea a la perfección (por ejemplo, peinarse) estos padres tienden a prolongar de manera innecesaria la dependecia de sus hijos, lo que por lo general, también provoca frustración en los niños y puede crear situaciones de conflicto.

Lo más recomendable es cuidarlos sin ahogar la iniciativa de los pequeños. Los padres tenemos la obligación de brindarles un entorno seguro para que los niños puedan disfrutar de sus nuevas capacidades y avanzar en la conquista de su autonomía.

52

¿Cómo ayudan los juegos al desarrollo personal?

Desde bebés, los niños juegan por placer. A partir de los 3 años es notable la predominancia del juego "simbólico" ("hacer como si"), que les permite representar el mundo real o una situación vivida, por ejemplo, jugar a ser mamá, ir al dentista, entre otras. Este tipo de juego no solo involucra la imaginación sino también la naciente capacidad de representación. Los niños de esta edad prefieren los personajes fantásticos. También aparecen los amigos imaginarios. Mediante el juego los niños descargan tensiones e impulsos agresivos, adquieren experiencia y aprenden a resolver problemas, experimentan y reinventan el mundo al que intentan dominar. El juego permite integrar diversos aspectos de la personalidad al involucrar distintas emociones y adaptarse a la realidad. Desde el punto de vista social, les enseña a los niños a tener paciencia, a aceptar reglas y normas, a tolerar frustraciones y a relacionarse con otros niños.

Al llegar a los 5 años de edad, ya están en condiciones de entablar el juego socializado y con reglas.

Los padres tenemos que acompañar el desarrollo integral de nuestros hijos.

La resiliencia

La resiliencia es la capacidad que tenemos para sobreponernos a las adversidades y desafíos de la vida y transformarlos en un aprendizaje positivo. Es importante que los padres ayudemos a los niños a descubrir, desde la infancia, las potencialidades de su personalidad y a desarrollar los factores que estimulan la resiliencia.

Autoestima y resiliencia

Según los especialistas, la potencialidad que tienen las personas de sobreponerse a situaciones adversas, está íntimamente relacionada con la autoestima, desarrollada a partir de los vínculos establecidos entre el bebé y sus padres desde el nacimiento. Esto permite construir relaciones sólidas, lo que, a su vez, refuerza la autoconfianza y el sentimiento de seguridad.

Los pilares de la resiliencia

Es muy importante detectar los factores de la personalidad de los niños y adolescentes que permiten desarrollar la capacidad de resistir y enfrentar los desafíos. Los psicólogos coinciden en señalar como algunos de los pilares de la resiliencia las siguientes características:

- Autoestima adecuada
- Creatividad
- Sentido del humor
- Capacidad de tomar iniciativas
- Autonomía
- Pensamiento crítico
- Capacidad para establecer relaciones afectivas sanas.

Por lo tanto, la resiliencia es el resultado de la combinación de múltiples factores personales y su interacción con el medio familiar y social.

En la escuela también

Además de la familia, la escuela es un ámbito adecuado para fomentar la resiliencia en niños y adolescentes. Para ello es imprescindible que la institución educativa ponga el eje en desarrollar las virtudes y los puntos fuertes de los niños, en lugar de señalar los problemas y carencias.

Algunas medidas que se pueden tomar en la escuela son: darles apoyo, aliento y contención afectiva a los niños, para que desarrollen la confianza en sus capacidades; incentivar las expectativas realistas, partiendo de que, en la medida de sus capacidades, todos los niños pueden alcanzar objetivos; alentar la resolución y la planificación de problemas escolares, la participación de los niños en la toma de decisiones; enseñarles habilidades para la vida social como: la capacidad para tomar decisiones y resolver problemas, las formas de comunicarse y cooperar con los demás, entre otras.

Si les permitimos a los niños ser cada vez más autónomos en tareas y actividades que no revisten riesgo para su seguridad, los acompañamos en sus temores e inseguridades y establecemos pautas claras de autodisciplina, estaremos garantizando algunos de los pilares centrales de su desarrollo personal.

Pruébalo... ¡funciona! 

Para alentar su autonomía evitando riesgos...

Ayuda a que se consoliden las conquistas de la etapa anterior, por ejemplo: vestirse, comer solo, servirse agua, asearse, etcétera.

Alienta el desarrollo de nuevas iniciativas, por ejemplo: hacer la cama sin ayuda, limpiarse solo en el baño o enjabonarse. Supervisa mínima y discretamente las tareas realizadas por el niño de forma autónoma (utilización de tijera y cuchillo, cepillo de dientes, baño, vestimenta, etcétera).

No intervengas inmediatamente cuando observes que tu hijo no logra resolver alguna dificultad, por ejemplo, vestir a una muñeca o abrir un recipiente. Dale un tiempo para que lo intente solito y si él te lo pide, ayúdalo.

Cuando no alcanza lo que se ha propuesto, anímalo para que continúe esforzándose, que sea perseverante y que ensaye nuevas formas de resolver el problema. Si pese a todo el esfuerzo solicita ayuda, debes brindársela.

Pídele colaboración en actividades nuevas, por ejemplo: que ayude en la cocina, agregando ingredientes a una comida, o que doble y guarde su ropa.

Solo debes impedir alguna actividad cuando juzgues que es realmente peligrosa para el bienestar físico de tu hijo. En cuanto a las tareas que pueda realizar de manera autónoma y que no impliquen riesgos, debes permitirlas y fomentarlas, con un bajo nivel de supervisión y solo interviniendo cuando el niño lo necesite.

Permite el desarrollo de la exploración alentando la responsabilidad, pero sin inhibirlo ni crearle miedos injustificados.

53

¿Por qué mi hijo no para de hacer preguntas?

Las preguntas de los niños tienen distintas causas. El motor de estas es la curiosidad por conocer y explorar el mundo, y tratar de entender cómo funciona y por qué se producen determinados fenómenos.
Otro gran motivo de estas preguntas es poner a prueba la paciencia y la sabiduría de los adultos. Los niños muy pequeños tienen el convencimiento de que los mayores, en particular sus padres, lo saben todo.
Cuando los niños son más grandes, los famosos "¿por qué?" también se usan para comprobar si las respuestas de los adultos coinciden con sus propias explicaciones, es decir, son una manera de confirmar sus hipótesis o sus ideas previas sobre el tema en cuestión.

54

¿Cómo debo responderle?

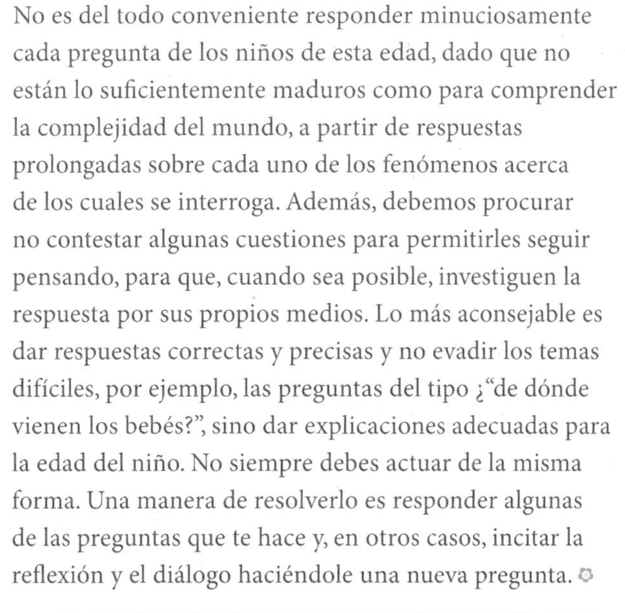

No es del todo conveniente responder minuciosamente cada pregunta de los niños de esta edad, dado que no están lo suficientemente maduros como para comprender la complejidad del mundo, a partir de respuestas prolongadas sobre cada uno de los fenómenos acerca de los cuales se interroga. Además, debemos procurar no contestar algunas cuestiones para permitirles seguir pensando, para que, cuando sea posible, investiguen la respuesta por sus propios medios. Lo más aconsejable es dar respuestas correctas y precisas y no evadir los temas difíciles, por ejemplo, las preguntas del tipo ¿"de dónde vienen los bebés?", sino dar explicaciones adecuadas para la edad del niño. No siempre debes actuar de la misma forma. Una manera de resolverlo es responder algunas de las preguntas que te hace y, en otros casos, incitar la reflexión y el diálogo haciéndole una nueva pregunta.

La curiosidad es un motor importante del conocimiento.

55

¿Qué significa que los niños tienen un pensamiento mágico?

Aunque son muy curiosos e investigan el mundo que los rodea, los niños aun no comprenden muchas de las leyes naturales y racionales que lo rigen. Sigue predominando un tipo de pensamiento que se denomina mágico o animista, y que consiste en creer que todos los objetos inanimados tienen vida y están dotados de intenciones, deseos y pensamientos.

Esto va acompañado por la llamada omnipotencia mágica, que es un rasgo típico del pensamiento infantil y responde, fundamentalmente, a las dificultades que aun tienen los niños para diferenciar entre los hechos reales y su percepción subjetiva. Esto es producto del egocentrismo que todavía caracteriza a los niños de esta edad, que hace que piensen que sus deseos pueden ser la causa de que las cosas acontezcan de determinada forma y en cierto orden. Por ejemplo, hay niños que piensan que su mamá ha quedado embarazada porque ellos desean tener un hermanito.

A medida que los niños se acercan a los 6 años, estas características van cediendo ante la conformación de un pensamiento más lógico, aunque concreto, que los acerca al mundo adulto.

56

¿Es normal que todavía haga berrinches?

Hasta los 4 o 5 años tu hijo continuará sin poder regular sus emociones. La imposibilidad de obtener algo que desea en forma inmediata, o el fracaso por no poder realizar ciertas cosas por sí mismo, suelen desencadenar episodios de intensa irritabilidad, desesperación y frustración.

El estallido de emociones incontrolables, la sensación de derrumbe que experimenta en los berrinches, son expresiones de una personalidad aun inmadura. A diferencia de los adultos, el niño no dispone de una identidad estable única, con capacidad de tomar decisiones importantes, llevarlas adelante y asumir sus consecuencias.

La inconstancia y fugacidad de los deseos también son signos de inmadurez emocional. Por lo general, al llegar a los 6 años de edad, se considera que estas actitudes ya han sido superadas.

LOS TEMORES INFANTILES

Tiene miedo, ¿cómo lo ayudo?

Los miedos tienen una temprana aparición en la vida de las personas. Aunque nos resulte extraño, debemos saber que son parte del desarrollo normal de los niños y cumplen un rol muy importante en la construcción de la autonomía, en la percepción del peligro y en el conocimiento de emociones como la angustia y la ansiedad. Como padres, es muy importante que sepamos cómo actuar para poder ayudar a nuestros hijos a superar los diversos temores que vayan surgiendo durante su infancia.

Los miedos en la niñez

57

¿Es normal sentir miedo?

Sentir miedo es una experiencia normal que, con distinta intensidad, nos suele ocurrir a lo largo de la vida. Es una forma de reaccionar defensivamente ante una situación, real o imaginaria, que percibimos como peligrosa. En pocas palabras, el miedo es una reacción instintiva de autoprotección. Los primeros temores aparecen al inicio de la niñez. Pueden surgir repentinamente y no siempre están dirigidos a objetos, fenómenos o personas reales.

58

¿Cómo tengo que actuar frente a los miedos de mi hijo?

Ante todo debes saber que, más allá de que desde tu punto de vista lo que motive el temor de tu pequeño sea algo absurdo, la sensación de miedo es real: tu hijo no imagina que tiene miedo, lo siente. Es importante que los padres comprendamos que estos miedos son normales y forman parte del proceso evolutivo de los niños y aprendamos a actuar de la manera más adecuada para permitir que los superen. Aunque sean parte del crecimiento normal, si los adultos no sabemos manejarlos, los miedos infantiles pueden tener consecuencias en el futuro contribuyendo a que los niños sean inseguros y con baja autoestima.

¿Lo sabías?

Los niños tienen una gran capacidad imaginativa y crean un mundo fantástico. Es bueno que ayudes a tu hijo a distinguirlo de la realidad, pero eso solo no alcanza para la desaparición de los miedos. Tampoco obtendrás resultados positivos si disminuyes la importancia o impones penitencias ante los miedos provocados por las fantasías infantiles.

59

¿Van cambiando los miedos con la edad?

Si bien existe una variedad de fenómenos o situaciones que despiertan temor en los niños, hay algunos miedos particulares que son característicos de las distintas etapas o momentos evolutivos. Veamos los más comunes.
En el transcurso del primer año de vida, ante estímulos desconocidos los pequeños reaccionan llorando y esto, en realidad, es una manifestación instintiva. Hacia los 8 meses aparece la angustia de separación, también llamada angustia del octavo mes, que se manifiesta con llanto, ansiedad y temor a los extraños.
A los 2 años suele aparecer el miedo a dormir solo y el temor a la oscuridad.
Próximo a los 3 años, los niños empiezan a tenerle miedo a las tormentas (truenos y relámpagos). También, aparece el miedo a los animales.
Entre los 4 y los 6 años persiste el temor a la oscuridad, que se combina con el surgimiento de otros miedos: a las catástrofes, a personajes imaginarios (brujas, fantasmas, ogros, monstruos), a ciertos animales y a personas disfrazadas (payasos, etcétera).
A esta edad, los miedos se alimentan de historias, personajes y películas fantásticas que los niños ven durante el día. El temor responde, principalmente, a que no logran discriminar correctamente entre el mundo real y las fantasías y no controlan aún su imaginación. En este periodo comienzan también los terrores nocturnos y puede aparecer el sonambulismo.
A partir de los 6 años, momento que coincide con el inicio de la escolarización, aparece una serie de temores que están ligados de forma más evidente a la dimensión social, en particular, a no responder adecuadamente a las exigencias escolares.

Los miedos tienen un importante rol en el desarrollo infantil.

60

¿Qué efectos tiene asustarlo cuando se porta mal?

Es común que si un niño se porta mal, los padres lo amenacen con algún personaje fantástico (en algunas culturas se usa el famoso "hombre de la bolsa") que supuestamente vendrá y se lo llevará si no los obedece.
Este recurso, basado en infundir temor, suele ser eficaz en el momento, pero si se utiliza con frecuencia, puede incrementar los miedos denominados normales (por ejemplo, se hace aun más agudo el temor a la oscuridad, o a las personas extrañas, a estar solo, a la gente que vive en situación de calle, etcétera). También puede generar aversión a los ancianos, o a cualquier otra persona que el niño asocie con el personaje temido.
El temor o la amenaza no son herramientas útiles para obtener obediencia de los niños. Con esos métodos solo lograremos formar niños miedosos e inseguros.

Tenemos que evitar transmitirles a los niños nuestros miedos.

61

¿Puedo contagiarle mis miedos?

Entre los miedos infantiles tenemos que distinguir aquellos que son normales y forman parte del proceso evolutivo, de los miedos transmitidos por los padres o por otros adultos. Los más comunes entre estos temores son: el miedo a algún insecto o animal particular, a ciertas personas, o a relaciones sociales extrafamiliares.
Los niños son muy permeables a estos temores, ya que toman como modelos a los padres o adultos significativos que los rodean. De este modo, si observan que los adultos le temen intensamente a algo en particular y le remarcan al niño los riesgos que eso temido conlleva, es muy probable que los pequeños terminen sintiendo miedo a lo mismo que sus padres.

62

¿Tengo que ocultarle mis temores?

El hecho de que los pequeños nos observen y aprendan de nosotros no significa que debamos negar nuestros temores. Una madre puede divertirse con su hijo acerca de su temor a los insectos, pero no puede pretender que cuando el niño vea uno salga corriendo. No está de más dejar bien claro cuáles son los temores, expectativas y preferencias de los padres y cuáles son las de los hijos. En situaciones donde los adultos también sienten temor, deben procurar controlarlo y mostrarse calmados ante los niños. No hay nada que haga sentir más inseguro a un pequeño que darse cuenta de que sus padres no son lo suficientemente firmes como para cuidarlos y protegerlos de sus propios miedos.

63

¿Cuáles son los temores más comunes y persistentes?

El miedo a la oscuridad es bastante típico en la infancia, e incluso puede persistir bajo la forma de ansiedad hasta la edad adulta. Por lo general, aparece hacia los 3 años y suele prolongarse hasta los 9 años. Como consecuencia de este temor, los niños se resisten a dormir con la luz apagada o temen ir solos a una habitación que se encuentra a oscuras. Este temor suele ir acompañado del miedo a personajes como fantasmas, monstruos o brujas. Aunque este es uno de los miedos más comunes, debemos prestar atención si aparece de manera repentina en niños de entre 8 y 9 años, ya que si no es una respuesta a un estímulo identificable, por ejemplo una película o un cuento de terror, la edad de inicio tardía puede estar indicando que existen otros conflictos, como problemas escolares o familiares.

64

¿Qué puedo hacer para ayudarlo a superar los miedos?

Cuando tu hijo tiene miedo necesita más que nunca tu consuelo y tu ayuda para superarlo. Es muy importante que hables con él de sus temores, que le permitas que te cuente a qué le teme y por qué. Otra medida muy útil es leer cuentos en los que el personaje (un niño de edad similar a tu hijo) vence monstruos terribles, o historias en las que estos se transforman en personajes ridículos. Trata de que el niño no vea películas de terror, sobre todo antes de irse a dormir.

Pesadillas y terrores nocturnos

Los problemas del sueño son frecuentes en los niños pequeños. En la mayoría de los casos, no se deben a trastornos graves ni requieren mayores preocupaciones por parte de los padres. Los más comunes son las pesadillas, que aparecen entre los 3 y los 6 años y van disminuyendo con la edad.

¿Qué es una pesadilla?

Las pesadillas son sueños que involucran miedo. Todos somos capaces de definir o describir qué es una pesadilla y cómo nos sentimos cuando nos despertamos. La ventaja de los adultos es que, una vez superada la confusión, al despertar rápidamente podemos reconocer que ese mal momento vivido no es real y volvemos a conciliar el sueño.

Cuando un niño ha tenido una pesadilla, suele solicitar la presencia de los padres desde su cama, o acude a la de ellos en busca de protección.

Por lo general, se despierta y tiene, al menos, un vago recuerdo sobre qué soñó: un rapto, la separación de la madre, una bruja malvada... Paulatinamente, va tomando conciencia de que lo experimentado ha sido un sueño y, a veces, con un poco de dificultad, retoma el descanso.

Las pesadillas recurrentes

Es muy común que los sueños, en este caso las pesadillas, sean la expresión de alguna preocupación o dificultad que se encuentra viviendo el niño. Si existen pesadillas que se reiteran, es decir, que ocurren varias veces en una misma semana y, además, notamos que nuestro hijo durante el día se encuentra ansioso o, por el contrario, inusualmente taciturno, debemos indagar si existe algún motivo en particular que genera la angustia diurna y la nocturna.

¿Cómo superar una pesadilla?

Es importante que estén presentes los padres (o uno de ellos) cuando el niño despierta de una pesadilla. Estar acompañado y sentirse protegido por personas amadas es toda la ayuda que necesita para reponerse del mal trance. Los padres deben atenerse a consolar al niño con palabras tranquilizadoras y contención corporal. Tienen que transmitirle calma diciéndole que solo ha sido un mal sueño, que no fue real y que están con él para cuidarlo. Es conveniente esperar hasta la mañana siguiente para conversar de lo que ha soñado, cuando el niño ya ha tomado distancia del mundo imaginario que tanto lo ha asustado. La lectura de cuentos que no generen temor, o de historias en las que el personaje (un niño de la edad y características de nuestro hijo) vence a monstruos u otros seres temibles, eliminándolos o tan solo convirtiéndolos en seres inofensivos, suele ser una excelente estrategia para el momento que el niño se va a dormir.

Los terrores nocturnos

El terror nocturno clásico es un tipo de sueño que culmina con un estallido abrupto, con gritos y llanto. Su duración oscila entre 1 y 10 minutos, retomando luego el sueño tranquilo. Una de las diferencias centrales con las pesadillas es que el niño parece no reconocer a sus padres ni responder positivamente a los intentos de estos por consolarlo; además de permanecer total o parcialmente dormido durante el episodio, aun cuando tenga los ojos abiertos o se desplace por su habitación o la casa. En caso de despertarse, siente mucho temor y no recuerda con coherencia ni precisión lo que lo ha causado. Son menos frecuentes que las pesadillas pero tienen incidencia en los niños de edad preescolar. Algunos profesionales coinciden en afirmar que tendrían una base hereditaria; por lo general, no están asociados con problemas psicológicos, familiares o escolares.

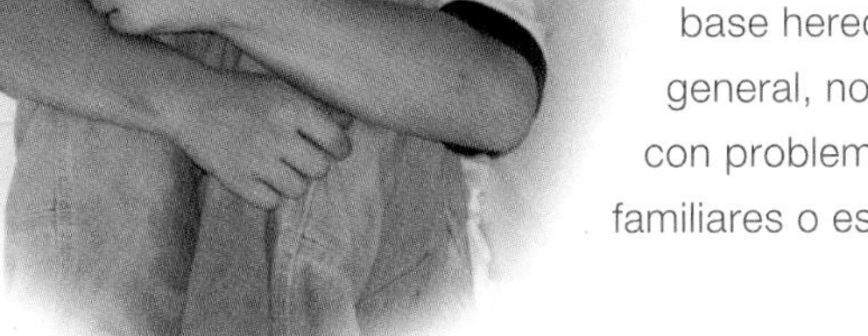

65

¿Cuándo tengo que preocuparme por los temores de mi hijo?

En la gran mayoría de los casos, los miedos no les impiden a los niños realizar y disfrutar su vida cotidiana, y son superados sin muchas dificultades, luego de cierta edad. Sin embargo, en algunos niños, los temores pueden persistir pese al paso del tiempo y a las explicaciones y estrategias implementadas.

Estos miedos persistentes generan dificultades en la vida del niño: por ejemplo, el temor a los payasos le impide ir al cumpleaños de un amiguito; el miedo a la oscuridad no le permite quedarse a dormir en la casa de un compañerito, o le hace imposible dormir solo en su propia habitación; el miedo a quedar expuesto hace que no quiera ir a una fiesta, entre tantos otros problemas que se pueden presentar. Si percibes que los miedos de tu hijo son desmedidos con respecto al objeto, a la situación o al fenómeno que los desencadenan, o si notas que persisten en el tiempo, debes tomar esto como una señal de alerta de que las cosas no están funcionando bien.

Esto es más evidente cuando los temores de los pequeños los paralizan o les impiden realizar sus actividades cotidianas y empiezan a restringirse.

Sin llegar a ser exagerados, debemos prestar atención, pues en un caso extremo podríamos encontrarnos ante el desarrollo de una fobia.

66

¿Qué son las fobias?

Las fobias son expresiones de miedo irracional y desproporcionado ante determinado objeto y situación. Por lo general, las fobias no suelen aparecer antes de los 4 años de vida y tienen una mayor incidencia en la población infantil desde esa edad hasta los 8 años. Los rasgos característicos que te pueden hacer sospechar que tu pequeño ha desarrollado una fobia, o bien que los temores ya no se están presentando de la manera esperada en términos evolutivos, son la persistencia del miedo más allá del límite de edad razonable y las conductas de evitación que desarrollan los niños para no enfrentarse con la situación o el objeto temido. Debemos recordar que para los pequeños la fobia produce mucha angustia y que ellos no la pueden manejar.

Las pesadillas, muy comunes en los más pequeños, van disminuyendo con la edad.

Consejos importantes

Frente al miedo a las tormentas, rayos y truenos

Explícale en términos sencillos en qué consisten estos fenómenos, qué los provoca y cuándo suceden.

Trata de que tu hijo comprenda que son fenómenos naturales, que tienen causas explicables y que no obedecen al mundo de lo mágico o desconocido.

Aclárale que son pasajeros y no producen daño; puedes ampliar indicando la importancia y los beneficios de la lluvia.

Disfruta con él observando estos fenómenos.

Frente al miedo a los animales

No le transmitas temor sino respeto hacia los animales: explícale que antes de acariciar a un perro o gato debe consultar al dueño si puede hacerlo.

Permítele, desde pequeño, tener contacto con animales domésticos que no sean peligrosos.

Comparte información sobre los animales y sus características.

Trata de no transmitirle tus propios temores hacia determinados animales.

Ante el miedo a las personas desconocidas

Enséñale a ser precavido. Dile que no debe aceptar golosinas ni regalos de personas que no conoce, ni tampoco paseos.

En caso de estar acompañados por un adulto de la familia, no hay por qué temer que alguien que no conozca le realice algún comentario o se acerque para conversar.

Frente al miedo a la separación

Explícale las razones que obligan a la separación (temporal o definitiva, en el caso de un fallecimiento o una partida sin retorno). Si es temporal y por causas naturales (como la escolarización), es mucho más fácil: dile que se volverán a encontrar al cabo de unas pocas horas.

En situaciones de conflicto aclárale que las separaciones no son "culpa" o responsabilidad suya (por ejemplo, ante un divorcio o partida de uno de los padres u otro familiar).

Prepáralo con anticipación para el acontecimiento de la separación.

Permítele hablar sobre sus temores y sentimientos.

Ayúdalo a distinguir entre el temor a las separaciones reales y las que el niño fantasea (por ejemplo, temor a que los padres lo abandonen o alguno de ellos fallezca, etcétera).

Frente al miedo a los cambios

Avísale con anticipación que va a ocurrir un cambio importante para poder prepararse.

Explícale en qué puede consistir y por qué sucede. Destaca los aspectos positivos que involucra el cambio.

Respeta sus sentimientos (de temor, ansiedad, enojo), brindándole contención y la posibilidad de hablar abiertamente sobre ellos.

Asegúrale que estarás con él para acompañarlo en las nuevas situaciones (por ejemplo, un cambio de escuela).

67

¿Cuáles son las fobias infantiles más comunes?

Aunque cada niño tiene sus particularidades, existen algunas fobias que tienden a repetirse con mayor frecuencia en la infancia. Estas son:

- Fobia hacia un objeto específico: por ejemplo hacia algún animal o personaje, son muy fáciles de identificar.
- Fobia a la soledad: se caracteriza porque los niños temen quedarse solos en una situación de indefensión. El ejemplo más común es el de los pequeños que se angustian cuando pierden de vista a su madre en un lugar muy concurrido.
- Fobia social: es el temor a exponerse delante de los otros. Suele aparecer en niños con personalidades inseguras y bajo nivel de autoestima.

Tenemos que prestar atención a los miedos persistentes, ya que pueden tratarse de fobias.

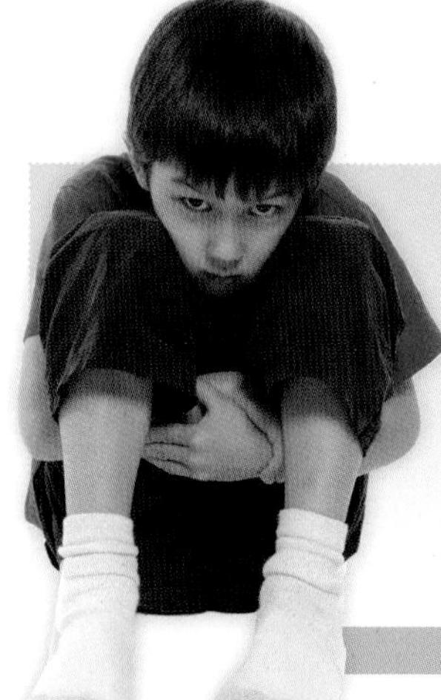

Cuando tenemos la sospecha de que estamos ante temores que exceden lo que se considera normal para la edad evolutiva de nuestro hijo, es conveniente pensar la posibilidad de consultar con un profesional, en particular, cuando notamos que el sufrimiento de nuestro hijo es muy intenso y que nosotros no logramos ayudarlo en su superación.

¿CÓMO LO EDUCO EN LA AUTODISCIPLINA?

El desafío de poner límites

La disciplina suele ser uno de los temas más difíciles de abordar en la crianza de los niños. Junto con los límites y el autocontrol, son adquisiciones imprescindibles para que tu hijo se transforme en una persona responsable y autónoma, con capacidad de disfrutar de la vida. Al comienzo los conflictos cotidianos generados por problemas de disciplina te pueden agobiar. Pero no te desanimes... existen estrategias básicas que no solo facilitan la tarea sino que, además, al apuntar al cambio de comportamiento, son efectivas a largo plazo.

Los límites en la infancia

68

¿Por qué es importante que le enseñe a mi hijo a tener autodisciplina?

La meta de todo padre es que sus hijos crezcan como personas saludables y autónomas, con posibilidades de desarrollar plenamente sus potencialidades, alcanzar sus objetivos y construir sólidos vínculos sociales y afectivos. Para lograrlo es imprescindible que incorporemos en la educación de los niños la disciplina, o más precisamente, los aspectos que contribuyen al desarrollo de la autodisciplina o autodominio.

La disciplina, los límites y el autocontrol son estrictamente necesarios para que los niños se sientan seguros de sí mismos y desarrollen una autoestima adecuada. La disciplina no solo es necesaria para desarrollar atributos individuales que implican beneficios personales, sino también para un provechoso funcionamiento social. Es decir, para educar personas que acaten las reglas vigentes en la sociedad en la que viven, que respeten sus derechos y los de los demás, y que sean capaces de controlar sus impulsos y postergar la satisfacción de sus deseos en pos del bien común.

¿Lo sabías?

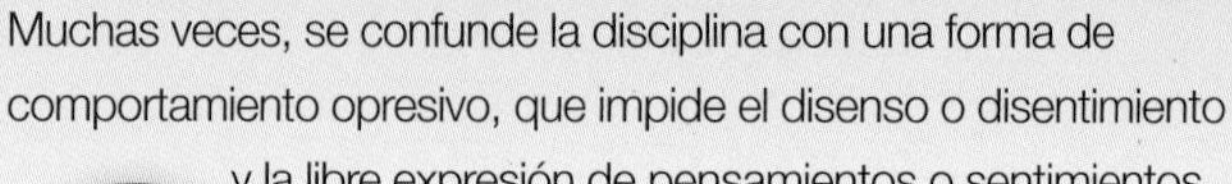

Muchas veces, se confunde la disciplina con una forma de comportamiento opresivo, que impide el disenso o disentimiento y la libre expresión de pensamientos o sentimientos, y que exige un conformismo desmedido y una obediencia ciega. Pero como veremos hay una diferencia fundamental entre establecer límites claros y ser padres autoritarios.

69

¿Cómo hago para fijar reglas si mi hijo es aun muy pequeño?

Debes ser consciente de que tu hijo necesita límites para crecer pero aun es inmaduro desde el punto de vista emocional y cognitivo y, por esto, tienes que asegurarte que comprende cómo debe comportarse o qué le estás pidiendo. Cualquier solicitud, mandato o exigencia que le hagas debe ser acorde a su edad. Los niños pequeños aun tienen muchas dificultades para comprender las razones de los demás y con frecuencia anteponen sus prioridades, necesidades y deseos. También debes definir cómo procederás en el caso de que el niño no cumpla con las órdenes y normas establecidas. Las medidas que tomes deberían adecuarse a la edad y desarrollo evolutivo de tu hijo.

Los límites son fundamentales para la educación de los niños.

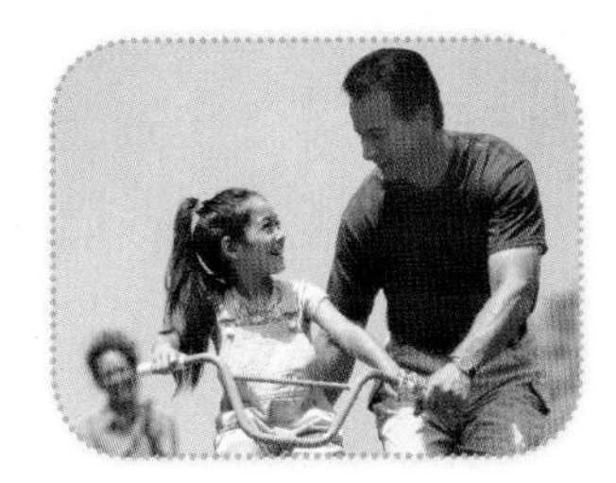

70

¿Cómo tenemos que actuar los padres para hacer respetar los límites que fijamos?

Para avanzar con éxito en la educación de tu hijo en la autodisciplina, lo primero que debes hacer es ponerte de acuerdo con tu pareja sobre algunas cuestiones fundamentales, entre ellas, la importancia que le damos a este aspecto de la educación, cómo encararlo y con qué métodos lograr nuestros objetivos.
Una de las cosas más importantes que tienen que definir con claridad es qué le permiten hacer al niño; qué conductas o actitudes serán toleradas, y cuáles son las cuestiones que, bajo ningún punto de vista, aceptarán en su comportamiento. Muchas veces damos por hecho que, llegado el momento, nos pondremos en sintonía sobre cómo disciplinar a nuestros hijos y cómo proceder en caso de que se nieguen a respetar las normas establecidas en la familia. Pero la realidad es que los padres no necesariamente coincidimos en estos temas y, en momentos de conflictos generados por actitudes indisciplinadas de nuestros hijos, terminamos discrepando abiertamente delante de ellos, lo que debilita nuestra autoridad para establecer límites y hacer respetar las reglas.

Pruébalo… ¡funciona!

Existen ciertas reglas básicas que hacen más sencilla la educación de los niños.

Regla de la responsabilidad compartida	Todos los miembros de la familia, de acuerdo con su edad, tienen responsabilidades y ayudan a vivir con armonía.
Regla del respeto mutuo	Los padres no podemos exigir respeto de nuestros hijos si nosotros no los respetamos a ellos.
Regla del compromiso	Una vez que asumimos un compromiso de respetar determinadas normas, debemos mantenerlo y en caso de no hacerlo, averiguar por qué no es así y qué medidas tomamos.
Regla de la constancia	Los padres debemos mantenernos firmes en exigir el cumplimiento de determinadas normas que hemos establecido como fundamentales para el funcionamiento armónico de la familia.
Regla de la coherencia	Los padres debemos mantener una coherencia entre lo que decimos y lo que hacemos.

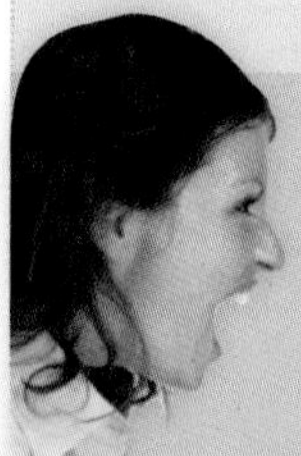

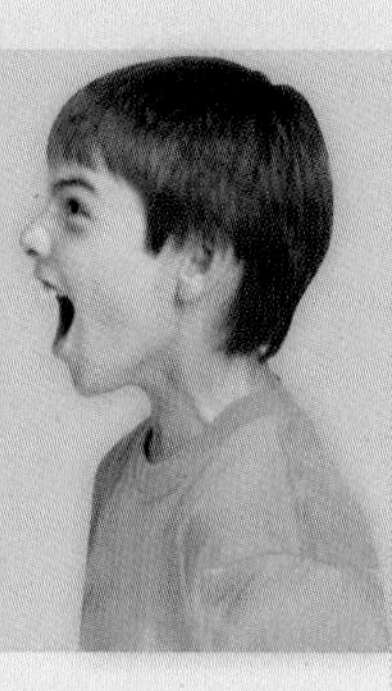

71

Intento establecer una norma pero mi hijo no me obedece, ¿cuál es el problema?

No es extraño que consideremos que nuestros hijos se portan mal o no nos hacen caso cuando no respetan lo que les estamos ordenando o exigiendo. Sin embargo, muchas veces esto se debe a que los límites y reglas que intentamos fijar tienen problemas. Por ejemplo, damos órdenes confusas, exigimos que se cumplan requisitos que no son necesarios para la disciplina del niño, le pedimos que haga cosas que no comprende porque son demasiado generales, o por que no son acordes a la edad y la maduración emocional y cognitiva del niño. Por eso, antes de sacar la conclusión de que tu hijo es desobediente, conviene que revises tus exigencias.

72

Entonces, ¿cuándo debo considerar que mi hijo me desobedece?

Puedes considerar que estás ante la desobediencia de tu hijo cuando este no respeta las reglas y normas básicas que se le exigen; por ejemplo, no observa las reglas sobre las que la familia ha alcanzado un consenso, entre ellas, respetar a los padres y a las otras personas del entorno familiar, o no golpear a su hermano pequeño. Otra situación común de desobediencia es no realizar o culminar una tarea que le has encomendado (por ejemplo, se niega a ordenar sus juguetes) o cuando no cumple con una indicación tuya dentro de un plazo de tiempo razonable y debes reiterarle una y otra vez el pedido.

¿Lo sabías?

Algunos padres suelen fijarse roles permanentes donde uno, que por lo general es el padre, hace de "malo" y es el que exige disciplina o cumplimiento de normas; y el otro hace de "bueno", protegiendo y defendiendo el comportamiento del hijo. Esta división puede ser acordada o asumida inconscientemente, sobre todo en el caso de los padres divorciados, para agradar a los hijos siendo permisivos. El riesgo de este tipo de juego es que el niño se adapte perfectamente al mecanismo y especule para lograr sus objetivos.

73

¿Qué pasa si dejo de exigir el cumplimiento de una norma?

En la educación de tu hijo pequeño lo más importante es que mantengas la coherencia y que seas constante en las cuestiones que permites y las que no admites. Por ejemplo, si ayer te has enfadado mucho porque tu hijo no se lavó las manos y hoy no reaccionas ni le das importancia, estarás dándole mensajes contradictorios respecto a lo que debe hacer. Esto quiere decir que lo aconsejable es que definas de manera estable qué conductas deben ser cumplidas y con cuáles te permites ser más flexible, y reaccionar conforme a estas pautas.

Cuando los niños son pequeños, suele ser muy tentador ceder a sus pedidos o caprichos con tal de que cese su insistencia y suspendan las conductas inapropiadas que despliegan para lograr su cometido. Muchos padres, luego de decir "no" a alguna solicitud de su hijo, culminan abandonando su decisión a cambio de que el niño no llore ni grite más por la negativa recibida.

El aprendizaje del niño en estas circunstancias es muy claro: "si me opongo con gritos y llantos, si me resisto a aceptar el no de mis padres, por cansancio terminarán cediendo a mis pedidos". Una vez que el niño adquiere esta dinámica en la relación con sus padres, será muy difícil establecer límites y exigirle autocontrol.

Es necesario que despertemos en nuestros hijos el anhelo de comportarse bien y de ser buenas personas, sin que ello signifique que renuncien completamente a sus deseos personales.

Los padres debemos incorporar la idea de que poner límites es un acto de amor hacia los niños y una gran ayuda para que sean personas autónomas.

Cuando fallan los límites...

Inseguridad, falta de confianza en uno mismo, temor al fracaso, bajo nivel de autoestima, conductas egoístas, dependencia... Estos son algunos de los problemas que pueden presentarse cuando ha fracasado la puesta de límites en la infancia. Veamos cómo evitarlos.

El centro del mundo

La falta de límites en el hogar tiene como consecuencia problemas en las relaciones personales y en el desarrollo emocional y social, que se prolongan en etapas posteriores de la vida. El egocentrismo es uno de estos problemas. La persona egocéntrica percibe y observa la realidad únicamente desde su propia perspectiva. Le resulta imposible ponerse en el lugar del otro, es decir, no tiene la capacidad para establecer empatía.
En las primeras etapas de la vida, el egocentrismo ocupa un lugar de relevancia en el desarrollo afectivo del niño y es un rasgo normal, sobre todo cuando no se ha formado aun la conciencia del yo.

Este egocentrismo suele reaparecer al comienzo de la pubertad y durante la adolescencia, cuando el joven presenta dificultades para diferenciar entre los propios pensamientos y los de otras personas.
Sin embargo, una inadecuada puesta de límites y un excesivo egocentrismo deriva en múltiples dificultades que se manifiestan principalmente en los vínculos personales.

Niños dominantes

Los pequeños que, por falta de límites se tornan egocéntricos, tienden a dominar la organización de la vida familiar según sus propios intereses. Prácticamente no tienen tolerancia para aceptar los deseos y necesidades del resto de los miembros de su familia (incluso de los padres). Las escenas son bastante conocidas: definen qué ver en la televisión, qué comer y cuándo se puede hablar. Otro de los rasgos característicos es la pretensión de ser el centro de todo y llamar la atención de manera permanente, en cualquier contexto y ante cualquier persona. Esta particularidad es resultado de una insuficiente interiorización de normas, horarios de rutina y desarrollo de la capacidad de espera.
La incapacidad de tolerar la frustración trae aparejada la imposibilidad de respetar los derechos y necesidades de los demás. Las personas egocéntricas tienden a establecer vínculos basados únicamente sobre una perspectiva de utilidad que los otros puedan tener para uno mismo.

5 claves para tener éxito en la puesta de límites

- *Ser firmes pero no inflexibles.*
- *Ponernos de acuerdo entre los padres.*
- *Establecer límites y normas racionales.*
- *Mantener el respeto y el diálogo.*
- *No recurrir al castigo físico o las amenazas.*

Nunca es tarde...

Si bien el momento adecuado para establecer límites es durante la infancia, si notamos que no hemos conseguido cumplir con esta tarea, podemos intentar retomarla. Debemos ser conscientes de que es mucho más difícil en el caso de preadolescentes o adolescentes pero no es imposible. Si somos capaces de establecer un diálogo con nuestros hijos, basado en el respeto, podremos avanzar en transmitir ciertas reglas imprescindibles para la adquisición de habilidades sociales.
Nuestros objetivos principales deben ser el desarrollo de la capacidad de empatía, la comprensión de las normas de conducta, y el control del egocentrismo.

La falta de límites produce sentimientos negativos en los niños, entre ellos, inseguridad, desprotección y angustia, y perjudica el desarrollo de la autoestima.

74

¿Cómo puedo anticiparme a los actos de indisciplina de mi hijo?

Todos los niños pequeños tienen momentos y/o determinadas actividades diarias que suelen suscitar conflictos y problemas de conducta; entre ellos: la hora de levantarse e irse a la cama, bañarse (o lavarse cara, manos y dientes), ir al jardín y la hora de la comida.

Lo primero que debes hacer es identificar estos momentos y/o actividades cotidianas que provocan problemas de disciplina. Las que mencionamos son las más comunes, pero pueden presentarse otras situaciones conflictivas.

Existe una manera muy práctica y gráfica para detectar los momentos de indisciplina de tu hijo. Tomas una cartulina o una hoja de buen tamaño y armas una tabla de doble entrada que representa un calendario: en la primera columna escribes los siete días de la semana y en la primera fila horizontal escribes las horas de cada día (desde la hora que se levanta hasta la hora de acostarse). En los casilleros que corresponda (según el día y la hora) vas anotando los episodios de mala conducta, berrinches o desobediencia, tratando de identificar el desencadenante (por ejemplo, levantarse de la cama). Seguramente habrá varios casilleros que quedarán en blanco, que son los que te indican que el niño se ha comportado bien o que no ha estado en casa.

Es muy importante que tengas diferenciados los momentos en los que tu hijo se porta bien, para establecer una valoración correcta de las situaciones de conflicto.

Al cabo de dos semanas tendrás un panorama respecto a los problemas de conducta más recurrentes de tu hijo, lo que te hará más fácil planificar tu respuesta.

Los padres tenemos que aprender a reconocer las razones del mal comportamiento de nuestros hijos. Para eso es necesario que los escuchemos. A veces, lo que consideramos como un acto de desobediencia más, en realidad es solo un síntoma de otros conflictos como estrés, temor o ansiedad.

75

¿Hay alguna forma de disminuir los problemas de disciplina más comunes?

Los problemas cotidianos de disciplina y la desobediencia de los pequeños pueden alterar seriamente el clima familiar, generando discusiones, gritos y llantos que no solo nos agotan a los padres, sino que también pueden afectar a otros miembros del núcleo familiar, como los hermanos mayores. Es importante, entonces, tener un diagnóstico claro de la situación y tomarse el tiempo necesario para planificar la solución a este problema.

El secreto para resolver o disminuir la intensidad de los actos de indisciplina cotidianos es establecer rutinas y hábitos regulares en las actividades de la vida diaria que irritan a tu hijo. La repetición de un hábito ayuda al niño a realizarlo cada vez con menor esfuerzo y tiene el objetivo de que se transforme en algo automático.

Lo más recomendable es tratar de que la rutina se altere lo menos posible y que alterne alguna actividad placentera para el niño con aquella que suele generar conflicto. Por ejemplo, si a tu hijo le disgusta bañarse y se niega a hacerlo, al retornar del jardín por la tarde, le das la merienda, le permites jugar un rato, anticipándole que luego del juego deberá bañarse; después del baño le puedes permitir algunos minutos más para realizar otra actividad que le guste, como retomar el juego interrumpido o mirar algún programa de televisión. Este tipo de procedimiento permite disminuir la intensidad y la importancia de la actividad que el niño rechaza. Así, a lo desagradable (en este ejemplo, bañarse) le anteceden y suceden actividades gratificantes. Lo mismo podemos idear para el momento de ir a la cama, acompañándolo con la lectura de un cuento.

Debes tener en cuenta que los malos comportamientos suelen ir desapareciendo con la edad.

A veces los niños nos ponen a prueba con su mala conducta.

76

¿Qué hago para desalentar el uso de malas palabras?

En la edad preescolar, es muy común que los niños empiecen a decir malas palabras y groserías y, aunque no conozcan su significado, comprenden que tienen un sentido particular.

Como ocurre con muchos comportamientos que surgen durante esta etapa, los niños las aprenden por imitación de los adultos o de otros niños con los que interactúan. Incluso, si en el hogar los padres se cuidan de pronunciar malas palabras en presencia de los niños, no falta oportunidad de escucharlas en la calle, en la televisión, en cualquier espacio público o incluso en el jardín de infantes.

La principal recomendación ante esta situación es la siguiente: cuando escuches por primera vez que tu hijo (de 3 o 4 años) pronuncia una mala palabra, ignórarlo. Uno de los objetivos de los pequeños al emplear este tipo de vocabulario es llamar la atención de los adultos; si esto no sucede, el niño terminará perdiendo interés en su uso. Por el contrario, si te ofuscas, es muy probable que tu hijo siga usándolas, solo para verificar tus reacciones y divertirse con ello.

Si la estrategia de ignorar la pronunciación de una mala palabra no da resultado, debes proceder a explicarle, de manera sencilla y calmada, que hay palabras que no deben utilizarse porque pueden ser un insulto para los otros y, por lo tanto, provocar su enojo y enemistad.

Los pequeños tienen un gran interés por lo "prohibido".

¿Lo sabías?

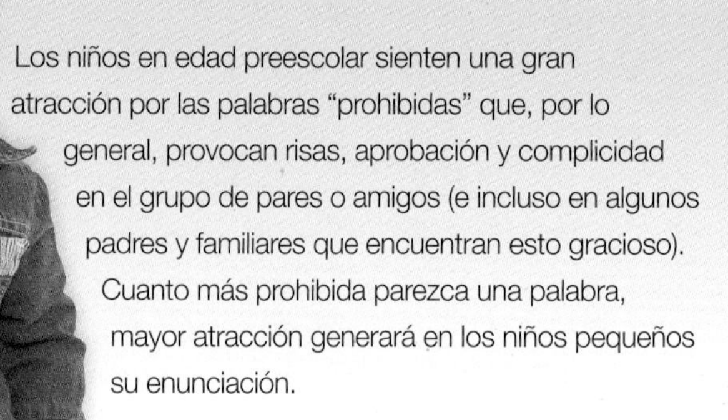

Los niños en edad preescolar sienten una gran atracción por las palabras "prohibidas" que, por lo general, provocan risas, aprobación y complicidad en el grupo de pares o amigos (e incluso en algunos padres y familiares que encuentran esto gracioso). Cuanto más prohibida parezca una palabra, mayor atracción generará en los niños pequeños su enunciación.

Consejos importantes 

Para alentar la autodisciplina en los niños

Tener bien en claro cuáles son los comportamientos que consideramos deseables y cuáles no; por tanto, cuáles buscamos consolidar y cuáles desalentar. Si es necesario, hagamos una lista respecto a qué aprobamos y deseamos y cuáles comportamientos y acciones definitivamente reprobamos.

No demorarse en llamarle la atención sobre su mal comportamiento; no debemos esperar a que termine de realizar la acción que reprobamos para castigarlo luego. Es mejor detenerlo en el momento, antes de culminar su acción.

Los castigos y reprimendas deben ser precisos y en el momento. No pueden ser vagos, excesivos, ni a futuro (por ejemplo, "cuando llegue tu padre...", "mañana..."). A los niños pequeños se les puede impedir ver su programa favorito del día, no otorgarle una golosina, retirarlos a su habitación un momento; o cualquier castigo puntual, acotado e inmediato al mal comportamiento.

Asegurarnos de que los niños comprendan perfectamente que todas sus acciones tienen consecuencias y pueden desencadenar respuestas de otras personas.

Para alentar la autodisciplina en los niños

No amenazar con castigos que, de antemano, sabemos que no cumpliremos (por ejemplo, que no verá televisión en todo un mes, que no le compraremos nunca más dulces, etcétera). Por lo general las amenazas muy drásticas, desproporcionadas, como el "nunca más" o castigos que deben sostenerse por periodos muy prolongados, no suelen ser de cumplimiento efectivo ni tampoco tienen sentido y utilidad en la disciplina de los niños.

Cualquier crítica y rechazo debe efectuarse a las conductas del niño y no a su persona. Podemos decirle que nos apenamos porque ha estropeado su cuaderno escolar, pero no que es un "tonto", "inútil" o cualquier otro agravio a su persona. Por ejemplo si le ha pegado a otro niño, podemos expresar nuestro enojo por su conducta, pero no podemos decirle que es un "nene malo". Ha tenido una conducta mala, lo cual no lo convierte en "malo".

Llegar a un acuerdo entre los padres sobre las reglas y normas que deben cumplirse. Los niños deben tener en claro que ambos tienen la misma autoridad y la misma posición frente a determinadas actitudes. De lo contrario, favoreceremos las alianzas entre nuestro hijo y uno de los padres, que luego serán muy difíciles de evitar, sobre todo durante la adolescencia.

¿CASTIGOS O RECOMPENSAS?

Estrategias para formar niños seguros

Para lograr la disciplina de los niños no es suficiente con sancionar o castigar los malos comportamientos. Si esto no va acompañado de refuerzos positivos, es decir, del reconocimiento y la recompensa a las buenas conductas, corremos el riesgo de que nuestro hijo desarrolle sentimientos hostiles o perjudiciales para su autoestima. Una educación basada en el afecto y en límites y pautas claras le permitirá a tu hijo internalizar las normas y crecer con seguridad y autonomía.

Cómo reforzar las buenas conductas

77

¿Cómo debo reaccionar ante un mal comportamiento de mi hijo?

Es importante que trates de saber primero por qué actúa de una manera que tú repruebas. Muchas veces, los niños se portan mal para llamar la atención de sus padres. Si debes regañarlo porque está teniendo una conducta inadecuada (por ejemplo, le pega a su hermanito) lo aconsejable es que lo hagas sin dañar su autoestima, es decir, que rechaces la conducta pero no la persona del niño. No es recomendable decirle, por ejemplo, que es malo o que lo vamos a dejar de querer. La actitud más apropiada para que la disciplina sea una verdadera enseñanza es sancionar los comportamientos que están mal y, a la vez, reconocer los que están bien. De esa forma alcanzarás un equilibrio y podrás apreciar que en realidad son más las veces que tu pequeño se porta bien.

78

¿Por qué son importantes los reforzamientos positivos del buen comportamiento?

Así como percibimos la desobediencia y los comportamientos inapropiados, también debemos prestar atención y reconocer las conductas positivas, lo que además ayuda a su reforzamiento y consolidación. Si ignoras las buenas acciones o conductas de tu hijo puedes estar dándole el mensaje de que no son importantes, lo que tiene como resultado que el niño no se esfuerce por portarse bien, ya que no siente que eso tenga algún valor. Los reforzamientos positivos consolidan las conductas que deseamos, que consideramos buenas o apropiadas; además constituyen una guía que le indica al niño qué esperamos de él. Las sanciones y castigos se expresan de manera abierta sobre lo que no se debe hacer, pero solo de forma indirecta sobre lo que sí se espera o desea que el niño haga. Esta vía indirecta, por lo general, no es comprendida por los niños pequeños.

79

¿Qué pasa si lo amenazo con represalias que después no cumplo?

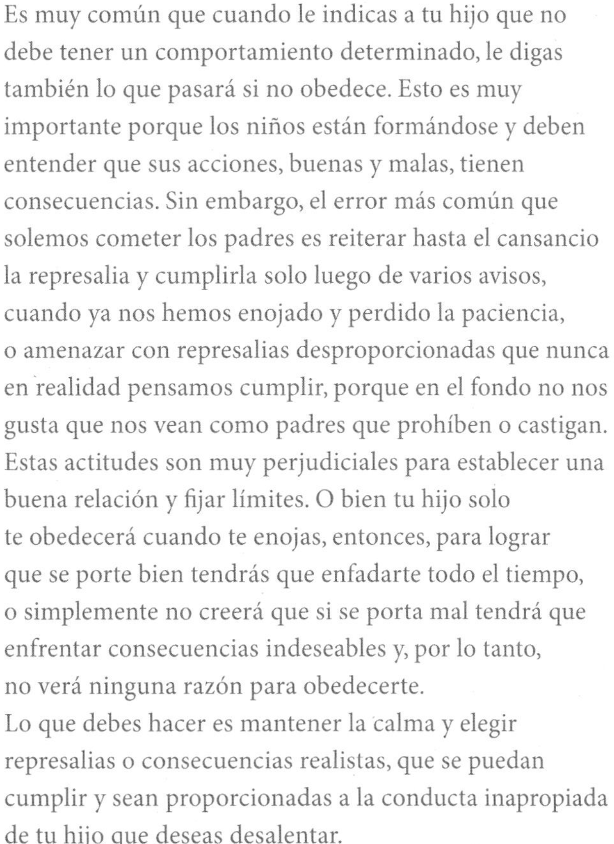

Es muy común que cuando le indicas a tu hijo que no debe tener un comportamiento determinado, le digas también lo que pasará si no obedece. Esto es muy importante porque los niños están formándose y deben entender que sus acciones, buenas y malas, tienen consecuencias. Sin embargo, el error más común que solemos cometer los padres es reiterar hasta el cansancio la represalia y cumplirla solo luego de varios avisos, cuando ya nos hemos enojado y perdido la paciencia, o amenazar con represalias desproporcionadas que nunca en realidad pensamos cumplir, porque en el fondo no nos gusta que nos vean como padres que prohíben o castigan. Estas actitudes son muy perjudiciales para establecer una buena relación y fijar límites. O bien tu hijo solo te obedecerá cuando te enojas, entonces, para lograr que se porte bien tendrás que enfadarte todo el tiempo, o simplemente no creerá que si se porta mal tendrá que enfrentar consecuencias indeseables y, por lo tanto, no verá ninguna razón para obedecerte.

Lo que debes hacer es mantener la calma y elegir represalias o consecuencias realistas, que se puedan cumplir y sean proporcionadas a la conducta inapropiada de tu hijo que deseas desalentar.

Las amenazas pueden funcionar solo un tiempo, pero cuando tu hijo percibe que no estás dispuesta a llevarlas adelante, dejará de tomarlas seriamente.

¿Lo sabías?

La mayoría de los padres tenemos mayor facilidad para realizar observaciones sobre los malos comportamientos que para reconocer los buenos: no dudamos en regañar y poner en penitencia a nuestros hijos ante alguna travesura o desobediencia, pero no siempre somos capaces de expresarles signos de aprobación ante su buen comportamiento.

Los padres y los problemas de disciplina

Para poder educar a los niños en la autodisciplina no es suficiente con observar su comportamiento y evaluar las posibles razones de sus problemas de disciplina. Los padres también tenemos que reflexionar sobre nuestras actitudes hacia lo que consideramos desobediencia.

Un momento de reflexión

Lograr un equilibrio para educar a nuestros hijos con libertad y responsabilidad no es una tarea sencilla. Los padres también somos humanos, tenemos responsabilidades, nos estresamos y, muchas veces, el mal comportamiento de nuestros hijos pequeños termina por agotarnos y nos hace perder la paciencia. ¿Son eficaces los métodos que empleamos para enseñarles a los niños a comportarse de manera adecuada? ¿Perdemos el control? Es importante que reflexionemos sobre nuestras actitudes que repercuten sobre la conducta de los niños.

Mucho más que decir “no”

Lejos de tener una connotación negativa o autoritaria, los límites juegan un rol muy importante en el desarrollo de destrezas personales y sociales. Poner límites implica educar a los niños para discriminar sus comportamientos y elegir los que son adecuados para cada situación particular. También darles las herramientas necesarias para controlar sus impulsos, saber cuidarse y sentir empatía, y poder así comprender y ponerse en el lugar de las otras personas. En síntesis, el establecimiento de límites excede decir “no” y pone en marcha un conjunto de estrategias que incluyen la disciplina en base al afecto y al cuidado, el respeto y el acompañamiento paciente durante el periodo de crecimiento.

Un calendario para padres

El método del calendario no solo es útil para registrar los malos comportamientos de nuestros hijos y poder detectar en qué situaciones se desencadenan, sino también para hacer un diagnóstico de nuestras reacciones ante los problemas de disciplina y conflictos con nuestros pequeños. El procedimiento es sencillo. Durante una semana, registramos en el calendario los episodios en los que hemos regañado o castigado al niño, las razones que motivaron el castigo y las recompensas.
Al finalizar la semana, tendremos un cuadro gráfico de nuestras reacciones. Con todos los datos podemos sentarnos tranquilos a reflexionar sobre cómo hemos respondido, qué castigos aplicamos, y cuántas veces fuimos desbordados por la situación. Un elemento muy interesante a tener en cuenta es si los episodios de castigo superan en cantidad a los refuerzos positivos. Si esto es así, debemos replantearnos nuestras respuestas, ya que los niños aprenden más en situaciones positivas que con castigos o penitencias.
Con este calendario podremos evaluar si nuestras reacciones son justas y efectivas para lograr el objetivo de educar a nuestros hijos y corregir nuestros errores.

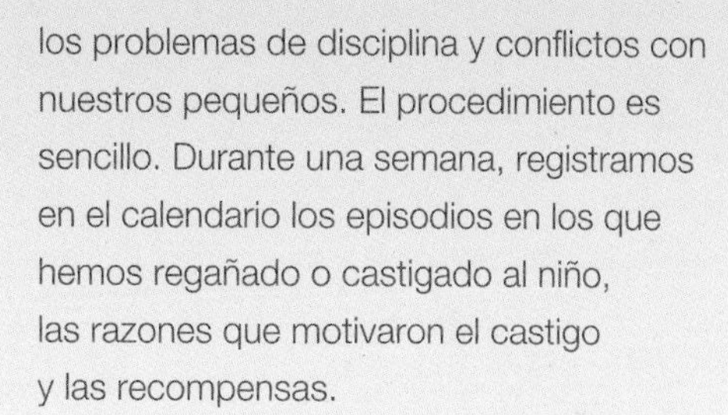

Si sabemos manejar la situación desde que son pequeños, los niños que suelen tener malas conductas pueden transformarse en personas positivas y creativas.

Evitemos el círculo vicioso

El mal comportamiento de los niños puede hacer que los padres se irriten y se sientan incapaces de controlar la situación y de enseñar nuevos comportamientos. Es importante detectar estos sentimientos y poder superarlos, ya que la consencuencia de padres enojados, con impotencia y culpa es una disciplina ineficaz que pone en marcha un círculo vicioso: las medidas disciplinarias más duras refuerzan las malas conductas.

80

¿Sirven las recompensas o pueden ser interpretadas como sobornos?

Cada tanto, otorgar una recompensa por un buen comportamiento es un incentivo para que tu hijo refuerce estas conductas. Pero el sistema de recompensas no puede transformarse en un mecanismo habitual, porque el niño tenderá a querer comportarse bien por el simple hecho de recibir algo a cambio. Si esta actitud se establece como norma, te resultará prácticamente imposible lograr que obedezca o cumpla con sus obligaciones sin recompensarlo con algo material. Es importante tener en cuenta siempre que para que cumpla su función, la recompensa tiene que ser ocasional.
En el caso de los niños pequeños, suele dar buenos resultados anticiparles qué conducta esperamos de ellos en determinadas circunstancias y prometerles una recompensa (un helado, un pequeño juguete, o cualquier otra cosa modesta) si obran de acuerdo a nuestra solicitud. Este tipo de acciones es válido siempre y cuando no se torne habitual ni constituya el recurso preponderante a la hora de disciplinar a tu hijo.

La falta de reconocimiento de los buenos comportamientos puede causar resentimiento y hacer que el niño sea sumiso o, por el contrario, muy rebelde.

¿Lo sabías?

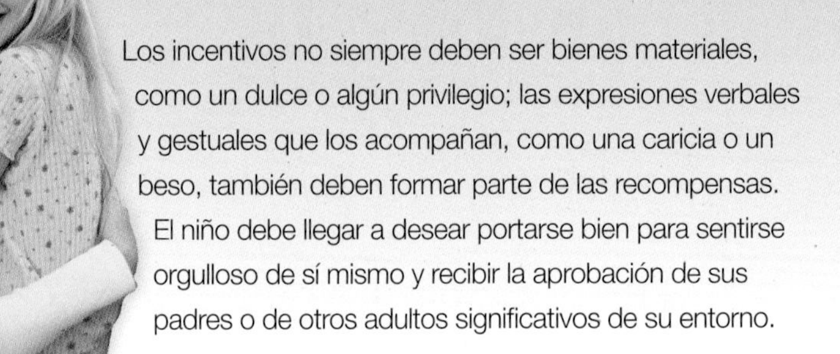

Los incentivos no siempre deben ser bienes materiales, como un dulce o algún privilegio; las expresiones verbales y gestuales que los acompañan, como una caricia o un beso, también deben formar parte de las recompensas. El niño debe llegar a desear portarse bien para sentirse orgulloso de sí mismo y recibir la aprobación de sus padres o de otros adultos significativos de su entorno.

81

¿Hay alguna situación particular en la que las recompensas no ayudan?

Hay dos circunstancias en las que está desaconsejado el uso de recompensas. Una es cuando tratas de poner fin a un mal comportamiento o desobediencia; por ejemplo, si el niño está molestando a su hermano más pequeño, decirle que recibirá una recompensa si deja de hacerlo; o si está haciendo un berrinche, prometerle algo a cambio para que se tranquilice. La otra es cuando son los niños los que ponen como condición recibir una recompensa para cumplir u obedecer lo que les estás solicitando. Por ejemplo, tu hijo te dice que recogerá sus juguetes solo si cumplida esa tarea tú le permites ver televisión.

En estos casos, es evidente que la recompensa no tiene un significado positivo y es utilizada por los niños como chantaje para obedecer lo que les pides.

Las recompensas no deben funcionar como condicionantes de la conducta de los niños; solo deben operar como estímulos o reforzadores. Cuando ves que tu hijo te está manipulando, en otras palabras, que te impone condiciones para cumplir con lo que le exiges, tienes que tomar conciencia de que las cosas no están funcionando bien. No olvides que debes ser tú quien imponga las reglas de juego, siempre que sean justas y sensatas.

82

Si lo elogio cuando se porta bien, ¿repetirá su buena conducta?

Todos los niños necesitan de la aprobación, aceptación y amor de sus padres o de otros adultos y por lo tanto se esfuerzan para conseguirlo.

Cuanto más elogies sus buenos comportamientos y actitudes, sus intentos por hacer algo (aunque no lo logre o no le salga perfecto), la obediencia a alguna orden o el cumplimiento de reglas, más se esforzará tu hijo por comportarse de manera tal de obtener estos elogios y conseguir tu aceptación; aun cuando le resulte desagradable cumplir lo que le estamos pidiendo. Esta sencilla acción no solo gratifica al niño y contribuye en la construcción de su autoestima, sino que también le enseña que, actuando correctamente, se puede recibir la aprobación de los otros.

La conclusión que sacará el pequeño es que las buenas acciones lo hacen una persona querida y respetada.

El castigo físico: un método que no sirve

Hay padres que, desbordados, recurren a algún tipo de castigo físico, por ejemplo, una palmada, para detener el comportamiento inadecuado de sus hijos. Aunque en el momento puede tener efecto, este método está desaconsejado. Probablemente el niño que recibe un castigo físico obedecerá por miedo, será una persona insegura o desarrollará una conducta agresiva.

Una duda razonable...

Muchas veces, los padres perdemos la paciencia y nos preguntamos si un castigo físico aplicado a tiempo no sería una opción adecuada para una firme puesta de límites. Esta duda es razonable en la medida en que aún persisten, en gran parte de la sociedad, creencias sobre la conveniencia del castigo físico como una estrategia válida. Podemos argumentar que la ventaja aparente que presenta el castigo físico es ser un método efectivo y rápido, ya que no debemos apelar a armarnos de toda nuestra paciencia para lograr que el niño obedezca. Es una estrategia que, en definitiva, requiere poco tiempo y esfuerzo en el momento puntual de lograr la obediencia de nuestro hijo.

Ventajas que no son tales

Sin embargo, si observamos más de cerca los resultados que obtenemos mediante el castigo físico, veremos inmediatamente que este tipo de estrategia y sus supuestos efectos no van más allá del corto plazo. No significan la internalización de un límite, ni su comprensión, ni tampoco implican un aprendizaje. El niño no aprende a autocontrolarse –que es la finalidad de la puesta de límites– sino a obedecer de manera inmediata para evitar un castigo.

Castigo, sometimiento y rebeldía

El castigo se basa en el miedo, en la intimidación y en el sufrimiento (tanto físico como psicológico). Por lo general, da lugar a dos actitudes opuestas: sometimiento o rebeldía. En el primer caso, la obediencia es el resultado del miedo y no del respeto e internalización de los límites. Sin embargo, muchas veces los métodos rigurosos tienen el efecto contrario al buscado, así surge la rebeldía (la desobediencia, la indisciplina), con el riesgo inherente de repetir en la vida adulta modelos de enseñanza violentos con sus propios hijos.

El castigo y las amenazas utilizados como método para lograr la disciplina de los niños, dan como resultado un control que proviene del exterior y que obstaculiza la internalización de las normas y la construcción de la autonomía. Esto quiere decir que el niño requerirá siempre de un estímulo externo para dominar sus impulsos. Obedecerá solo por el interés de evitar una reprimenda o verse privado de algo que le gusta hacer, y no porque comprenda la necesidad o las razones del por qué se espera de él determinado comportamiento.

Si el niño obedece solo para evitar un castigo o una penitencia, evidentemente estamos fallando en aprovechar el establecimiento de límites para educarlo en la autodisciplina.

83

¿Cuáles son las penitencias o castigos alternativos más efectivos?

La tarea de disciplinar a niños también incluye las penitencias o castigos, excluyendo los físicos, las humillaciones y otras actitudes agresivas, que lastiman física y/o emocionalmente. En el caso de los niños en edad preescolar, existen dos estrategias que suelen dar buenos resultados: una es alejar al niño de la situación que desencadena el problema, también llamada "tiempo afuera"; la otra es ignorar ciertos comportamientos, como forma de desincentivación.

Poner límites implica un conjunto de estrategias que incluyen la disciplina, el respeto al niño y el estímulo de conductas autónomas.

84

¿Cómo funciona la estrategia de apartamiento de la situación conflictiva?

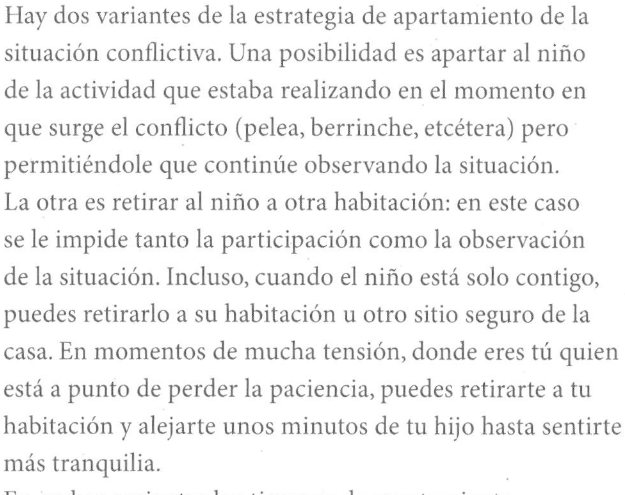

Hay dos variantes de la estrategia de apartamiento de la situación conflictiva. Una posibilidad es apartar al niño de la actividad que estaba realizando en el momento en que surge el conflicto (pelea, berrinche, etcétera) pero permitiéndole que continúe observando la situación.
La otra es retirar al niño a otra habitación: en este caso se le impide tanto la participación como la observación de la situación. Incluso, cuando el niño está solo contigo, puedes retirarlo a su habitación u otro sitio seguro de la casa. En momentos de mucha tensión, donde eres tú quien está a punto de perder la paciencia, puedes retirarte a tu habitación y alejarte unos minutos de tu hijo hasta sentirte más tranquilia.
En ambas variantes los tiempos de apartamiento o exclusión deben ser muy breves, en el caso de los niños pequeños la duración máxima es de 5 minutos. Esta estrategia suele ser muy útil en los jardines de infantes, donde las maestras deben lidiar con muchos niños a la vez, para evitar que el alboroto que provoca uno se extienda al resto del grupo.

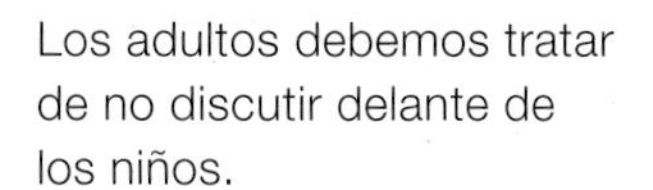

Los adultos debemos tratar de no discutir delante de los niños.

85

¿Cuándo me conviene implementar la estrategia de ignorar comportamientos?

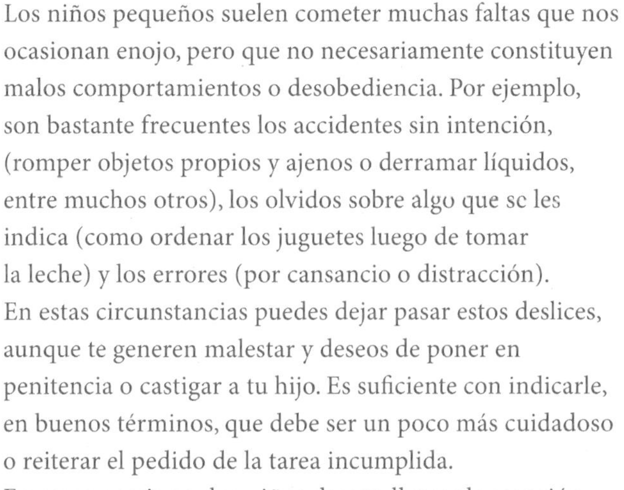

Los niños pequeños suelen cometer muchas faltas que nos ocasionan enojo, pero que no necesariamente constituyen malos comportamientos o desobediencia. Por ejemplo, son bastante frecuentes los accidentes sin intención, (romper objetos propios y ajenos o derramar líquidos, entre muchos otros), los olvidos sobre algo que se les indica (como ordenar los juguetes luego de tomar la leche) y los errores (por cansancio o distracción).

En estas circunstancias puedes dejar pasar estos deslices, aunque te generen malestar y deseos de poner en penitencia o castigar a tu hijo. Es suficiente con indicarle, en buenos términos, que debe ser un poco más cuidadoso o reiterar el pedido de la tarea incumplida.

En otras ocasiones los niños desean llamar la atención de los adultos portándose mal. Si esta actitud es ocasional no debería preocuparte. En estos casos también sirve ignorar (hacer de cuenta que uno no se anoticia de lo que está haciendo) al niño cuando comienza a gestar comportamientos para llamar la atención (amenaza con llorar o llora, hace "pucheros", manipula con brusquedad y enojo las cosas...). Cuando el pequeño se da cuenta de que con estas actitudes no logra tu atención, ni siquiera tu enfado, desistirá de ellas.

Por el contrario, si ve que le das importancia, puede adoptarlas como conductas habituales.

¿Lo sabías?

Poner límites no tiene nada que ver con una actitud de "prohibir por prohibir" o exigir obediencia ciega. No se trata de ser autoritarios ni de demostrar poder. Tenemos que convencerlos de que deben ser responsables de sus actos y asumir una conducta de autocontrol y autocuidado.

¿QUÉ TIPO DE MADRE SOY?

Límites y modelos paternos

Cada familia es un mundo que tiene sus propias reglas. Sin embargo, existen determinadas actitudes comunes que asumen los padres en la crianza de sus hijos. A partir de estas características similares, los especialistas en temas familiares han diferenciado cuatro modelos o estilos de padres. Conocer los modelos de crianza nos permitirá identificar qué orientación tenemos en la educación de nuestros niños, cuáles son las potencialidades de nuestro modelo paterno y también sus aspectos negativos.

¿Cómo somos los padres?

86

¿Qué determina las diferentes formas de ser padres?

No todos los padres y madres tiene la misma forma de educar a sus hijos, dado que cada persona tiene concepciones de crianza que están basadas en principios e ideas diferentes. Esta diversidad en los modos de actuar en la relación padres-hijos depende, en gran medida, de los modelos que cada uno asimiló de sus propios padres o de otros adultos, de su historia y de la influencia que tienen los aspectos sociales y culturales que rigen la vida de una comunidad determinada.

87

¿Cuáles son los principales modelos de crianza?

A partir de un abanico de variedades de formas de criar a los niños, se han identificado al menos cuatro estilos educativos básicos. A continuación describiremos de qué se tratan estos estilos, lo que nos servirá para identificar hacia qué orientación tendemos en la educación de nuestros niños, cuáles son los aspectos positivos de ese estilo y cuáles los posibles riesgos implicados.

Entre estos cuatro estilos, hay dos que se consideran extremos opuestos, estos son el modelo autoritario y el modelo permisivo. Mientras que el estilo autoritario se relaciona con la familia tradicional, el permisivo, en la actualidad, se encuentra ampliamente extendido, puesto que suele ser adoptado en mayor medida por los padres que sienten una considerable cuota de culpa por disponer de poco tiempo para estar con sus hijos. Los otros dos modelos son el llamado negligente y el denominado autoritativo, que es el más democrático y equilibrado. Este último estilo de crianza se basa en el respeto a la autoridad de los padres y a las normas, pero no como resultado de una imposición arbitraria, sino del convencimiento y la interiorización de reglas y hábitos de comportamiento.

88

¿Cómo son los padres autoritarios?

Una característica fundamental del modelo autoritario es la imposición del mandato de los padres: sus decisiones y órdenes son inapelables. No hay posibilidad de diálogo ni de negociación, puesto que establecen normas rígidas y esperan un acatamiento absoluto e inmediato. Estos padres suelen presentar también dificultades para demostrar cariño a sus niños. Así, la comunicación con sus hijos resulta escasa y, básicamente, está destinada a transmitir miedo, procurando conseguir obediencia ciega.

Los padres autoritarios apelan de manera excesiva al control de los niños y prescinden de estrategias basadas en los estímulos positivos. Consideran que la obediencia a la autoridad es un buen atributo, y que esta se forja con estrategias de castigo. La crianza basada en el autoritarismo tiene un fuerte impacto negativo en la conformación de la autoestima del niño.

89

¿Cómo reaccionan los niños ante el autoritarismo?

Los niños con padres autoritarios se sienten amenazados por los gestos, la mirada, el tono de la voz y la postura corporal que estos adoptan cuando los regañan o les dan una orden. Suelen ser niños pasivos, inseguros, tímidos y poco curiosos, con muy poca confianza en sí mismos, tanto para afrontar desafíos cotidianos como –a futuro– asumir responsabilidades propias de adultos.

Los niños expuestos a esta situación pueden reaccionar de dos maneras: con sumisión o, por el contrario, con rebeldía. Tanto en el caso de que se logre la obediencia como en el que el niño se rebela contra la autoridad paterna, este modelo tiene el efecto contrario al buscado.

¿Lo sabías?

El funcionamiento del modelo autoritario implica que el o los padres dan órdenes estrictas, que son inapelables e innegociables, mientras que el niño obedece por temor al castigo, asustado por las emociones sumamente exaltadas de sus padres y las posibles consecuencias.

90

¿Qué características tienen los padres permisivos?

Los padres permisivos se ubican en el extremo opuesto a los padres autoritarios: no exigen, no ponen límites claros, son muy laxos en la crianza de los niños y dialogan más de lo conveniente. Es decir, son reacios a la disciplina rígida y excesivamente tolerantes ante los deseos, conductas e impulsos de los niños aunque estos sean objetables. Evitan ejercer control e imponerse como figuras de autoridad. Por otra parte, se desviven por explicarles a sus hijos por qué deberían aceptar ciertas reglas básicas y comparten de forma exagerada la toma de decisiones con los niños. Suelen ser muy afectuosos pero no se preocupan lo suficiente por las conductas de sus hijos, ni tampoco intentan estimular el cumplimiento de las normas por fuera de la familia (por ejemplo, de las reglas que rigen la vida escolar).

Los hijos de padres con estas características sufren una distorsión en la percepción de las normas y reglas, ya que construyen una visión equivocada basada en la falta de exigencia a responder por las acciones propias. El otro inconveniente que tiene este modelo es que, al poner en discusión todas las reglas, se termina cargando sobre los niños la responsabilidad que le compete a los adultos de establecer ciertos valores y normas, respetando a sus hijos y explicándoles por qué se deben cumplir. Es una manera de que los adultos no asuman su rol.

91

¿Cómo son los padres negligentes?

Los padres negligentes ponen muy pocas restricciones a las conductas de sus hijos, prácticamente no les hacen exigencias ni les ponen límites, dejando que los niños actúen como desean. Esta excesiva permisividad deriva en falta de atención y de interés en orientar el comportamiento de sus hijos. Estos padres, muy ocupados por sus propias responsabilidades laborales o profesionales, suelen ser insensibles hacia las necesidades emocionales de los pequeños. Para ellos la responsabilidad hacia sus hijos es fundamentalmente económica. Para los niños, lo que puede aparecer en un primer momento como libertad para actuar según sus deseos, luego es vivido como un cierto abandono y, por lo tanto, les genera angustia.

92

¿Qué es el modelo autoritativo?

Los padres que aplican un modelo autoritativo fomentan la autonomía de los niños y respetan sus gustos y preferencias. Pero a la vez, construyen una figura de autoridad que enseña hábitos y valores, dicta normas de comportamiento familiar y social y pone límites claros.

La utilización del afecto en el desarrollo de la disciplina y la explicitación de las razones de algunas de las reglas que se les exigen cumplir a los niños, generan una obediencia racional y reflexiva, no sostenida en el "porque sí" o "porque yo lo digo". No hay imposiciones fundadas en discursos de autoridad. Hay una evaluación de las necesidades de los niños, sobre las cuales se dictamina cómo proceder, qué exigir, qué negociar y qué permitir.

La combinación de la disciplina con el amor, los estímulos y el reconocimiento de las buenas conductas, permite la formación de niños seguros de sí, espontáneos, creativos, independientes y bien adaptados a distintas circunstancias y contextos.

El modelo autoritativo permite una crianza democrática.

¿Lo sabías?

Lo aconsejable es asumir una suerte de posición intermedia entre los dos modelos extremos (el autoritario y el permisivo). Es decir, servirnos de cierto grado de permisividad con nuestros hijos pero asegurándonos que funcionen los mecanismos para el cumplimiento de normas básicas e importantes.

La disciplina inductiva

La disciplina inductiva se basa en un estilo educativo de tipo democrático, que tiene como eje priorizar las necesidades de los niños y adolescentes, por sobre las de los adultos. Este tipo de disciplina, complementaria al modelo autoritativo, fomenta, desde la primera infancia, el desarrollo de la autonomía, la autoestima y el autocontrol.

Disciplina y afecto

La disciplina no suele ser efectiva si no existe amor, respeto y lealtad mutua entre padres e hijos. Uno de los pilares del ejercicio de la disciplina inductiva es la demostración de afecto y aceptación y el desarrollo de una comunicación fluida y franca. El vínculo de amor entre padres e hijos motoriza o incrementa el interés y esfuerzo del niño por aprender a actuar como los padres consideran conveniente en función de sus valores. Por eso es la forma más efectiva de educar a los niños.

La racionalidad de las normas

La explicación y la negociación son elementos fundamentales de la disciplina inductiva. Los adultos no imponen mandatos "porque sí" y los niños no obedecen "porque el adulto así dispone". Este proceso de reflexión permite que los niños puedan ir comprendiendo la lógica de las normas y reglas, y su consecuente interiorización. De esta manera se desarrolla un razonamiento que, sin duda, será sumamente productivo para las futuras relaciones interpersonales.

La disciplina inductiva incluye el deseo de actuar bien para obtener y conservar la estima y el respeto de las personas importantes, que en el caso de los niños, son los padres.

Debemos ser conscientes de que no estaremos siempre al lado de nuestros hijos para indicarles en cada momento cómo comportarse, recordarles qué acciones están bien y cuáles no, cómo y cuándo controlar los impulsos... Por lo tanto, es estrictamente necesario que ellos interioricen ciertas normas y reglas y actúen conforme a ellas, sin la necesaria observación permanente de sus padres ni de otras figuras de autoridad, como maestros o tutores.

Un estilo equilibrado

La disciplina inductiva, por lo general, es característica del modelo autoritativo. Esta combinación apela tanto a la demostración de cariño, aceptación y respeto a los niños, como también a la exigencia y a un control moderado de la conducta a partir del razonamiento sobre las normas exigidas. Los padres aceptan justificar sus normas ante algún cuestionamiento de los hijos, en lugar de apelar a su autoridad.

Muchas de las dificultades con nuestros niños se resuelven cuando, de manera deliberada, focalizamos la atención sobre las conductas positivas y dejamos en un segundo plano las negativas.

El modelo autoritativo tiene las siguientes ventajas:

- *Permite valorar las emociones y sentimientos de los niños.*
- *Desarrolla el respeto a la autoridad sin necesidad de aplicar castigos.*
- *Es más efectivo para ejercer control y asegurar el cumplimiento de las normas.*
- *No se basa en restricciones o prohibiciones, sino en resaltar y reforzar las conductas positivas del niño, lo que genera seguridad y autoconfianza.*
- *Facilita el intercambio verbal y la demostración de cariño entre padres e hijos.*

93

¿Es bueno ser amigos de nuestros hijos?

Los padres que adoptan un modelo permisivo muchas veces basan su comportamiento en una concepción equivocada: creen que deben ser amigos de sus hijos. Los niños crecen pensando que entre ellos y sus padres no existen diferencias de jerarquía y que lo que ellos desean, dicen o hacen vale lo mismo que lo que hacen sus padres. Esto implica que tienen poco respeto por lo que sus padres hacen y cuestionan todas sus opiniones o decisiones, lo que lleva a sostener diálogos interminables y a tener que dar explicaciones hasta para las reglas más razonables.

Mantener una relación de confianza con los hijos, y que estos puedan apoyarse en sus padres y sentirse contenidos, no significa que tengamos que establecer un vínculo de amistad, complicidad o igualdad.

Además de la confianza, el sostén afectivo y cierto grado de compañerismo que pueden brindar los padres, los niños necesitan adultos capaces de establecer límites, a quienes puedan imitar para aprender a crecer y con quienes se sientan protegidos.

La seguridad que dan los adultos es fundamental para el crecimiento de los niños.

94

¿A qué se llama paternidad disfuncional?

Los estilos paternos autoritario, permisivo y negligente, a pesar de sus diferencias, tienen en común que no reconocen las necesidades de los niños. Lo que predomina aquí es una concepción de los hijos como posesiones de los padres y no como sujetos independientes, con derechos y necesidades específicas. Estos estilos, especialmente el autoritario y el negligente, pueden derivar en una paternidad disfuncional que se caracteriza por: falta de disponibilidad para los hijos, o ausencia e imposibilidad de establecer un vínculo afectivo o de compartir momentos de juego y diversión. Los niños educados según las características de alguno de estos modelos suelen ser desconfiados, ansiosos, inseguros y con problemas en la sociabilidad.

95

¿Hay otras actitudes problemáticas de los padres?

Existe otra forma de conducirse de los padres que también resulta peligrosa. Consiste en asumir el comportamiento de víctima ante los niños para lograr su obediencia. La victimización puede ser un método efectivo en el corto plazo pero tiene importantes consecuencias negativas tanto inmediatas –por ejemplo, en la relación entre padres e hijos–, como en etapas futuras.

Además, produce un ciclo que, para que continúe generando los efectos buscados, se deberá sostener en el tiempo y reforzar permanentemente, es decir, que para que los niños obedezcan, los padres tendrán que asumir siempre el rol de víctima.

En el otro extremo, hay padres que aspiran a ser perfectos. Pero a veces, la perfección en el cuidado de los niños se termina confundiendo con sobreprotección, y lleva a perder de vista las necesidades de los niños y poner en el centro las de los adultos.

Una de las actitudes más evidentes e inmediatas de la sobreprotección es la tendencia de los padres a evitarles a sus hijos sufrimientos, experiencias dolorosas o frustraciones. Pero lejos de hacerles un bien, una consecuencia grave de esta manera de actuar es cerrar los caminos que los niños necesitan transitar para ser autónomos, independizarse, sentirse seguros y no tener un temor paralizante a la frustración.

Los padres que siguen un modelo autoritativo alientan la autonomía de los niños y respetan sus gustos y preferencias. Pero, a la vez, son firmes para transmitir normas y poner límites.

Consejos importantes 

Para una crianza equilibrada

Establece vínculos afectivos fuertes, confiables y sostenibles en el tiempo que le den a tu hijo la seguridad de que siempre estarás para socorrerlo.

Ayuda a tu hijo a entender la realidad y darle un sentido a las situaciones que en ella ocurren, para que pueda comprender las experiencias que va atravesando a lo largo de su crecimiento.

Promueve e incentiva su inserción en distintos contextos y situaciones. Esto le permitirá desarrollar capacidades sociales que lo habilitarán para desempeñarse de manera segura, satisfactoria y respetuosa en distintos ámbitos y ante diversas personas.

Logra una relación equilibrada entre la permisividad y el control de la conducta. Aprende a reconocer las emociones y necesidades de tu hijo. Sé flexible para adecuarte a los cambios del desarrollo del niño.

Evita creer que porque eres su madre o su padre tu autoridad es incuestionable o que cualquier crítica que te haga es una falta de respeto. No pretendas que te obedezca ciegamente.

EL INICIO DE LA ESCOLARIDAD

¡Mi hijo ya va a la escuela!

Junto con la familia, la escuela tiene un papel fundamental en la infancia: no es solo un lugar de aprendizaje de contenidos nuevos, que permitirán a los niños comprender el mundo y prepararse para el futuro, sino que, sobre todo, tiene la función de sentar las bases para una formación integral, favoreciendo el desarrollo intelectual y afectivo. El inicio de la escolaridad es un momento en que tu acompañamiento y aliento serán fundamentales para tu hijo.

¡A clases!

96

¿Cómo preparo a mi hijo para el primer día de clase?

El inicio de la escuela primaria produce una gran movilización emocional, tanto para el niño como para los padres y el resto de la familia. Es un día especial que quedará grabado para siempre en su memoria.
Es el primer indicio claro de que el pequeño está entrando en una nueva etapa en la que se hará cada vez más autónomo. Es por esto que los padres ponemos todas nuestras expectativas en este camino que comienza.
La idea de enfrentarse a un mundo desconocido, con nuevos compañeritos y maestros, en una nueva institución, genera una gran ansiedad y despierta temores en los niños.
Lo más aconsejable es que trates de manejar tu propia ansiedad. Es muy útil que tu hijo conozca previamente la escuela, que sepa quién será su maestra y que, en lo posible, comparta el grado con algún amiguito o compañerito del jardín de infantes. Debes explicarle cómo será su nueva rutina, sus horarios y alentarlo a tener nuevos amigos. Cuando lo retires de la escuela el primer día deja que espontáneamente te cuente sus experiencias, y solo una vez que ha comenzado a hablar hazle preguntas.

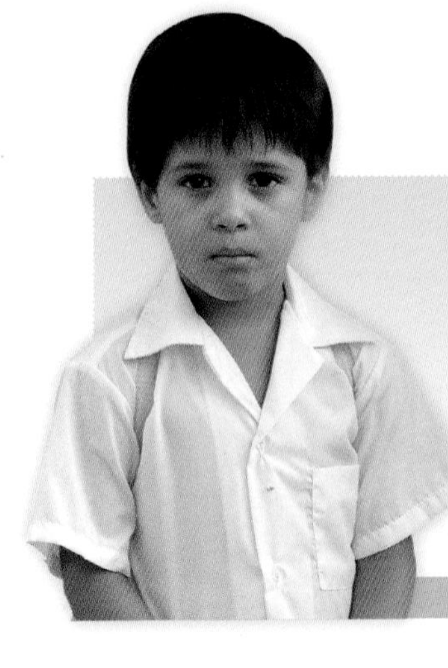

¿Lo sabías?

El rol de la familia es central tanto para estimular el desarrollo de la creatividad infantil como para alcanzar un nivel aceptable de éxito escolar. La inteligencia y la creatividad, o el buen rendimiento académico, no se explican por características innatas de los niños o por tener talentos especiales, sino que son un producto de los estímulos provenientes del medio familiar y, luego, de la escuela.

97

¿Lo afectará menos si ya tiene la experiencia del jardín de infantes?

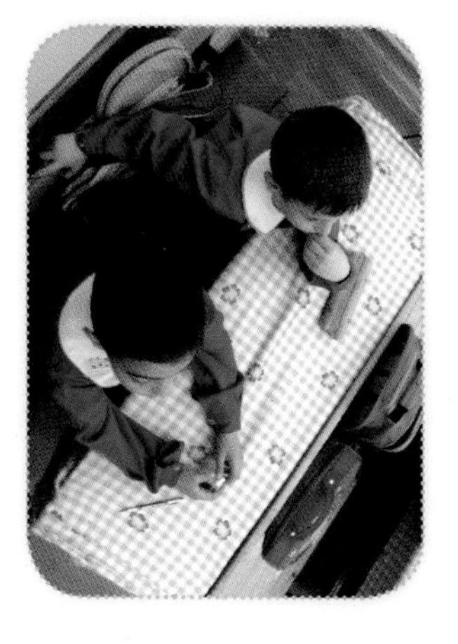

Aunque tu hijo tenga varios años de entrenamiento en el jardín de infantes y, por lo tanto, ya esté acostumbrado a pasar algunas horas fuera de casa, el ingreso a primer grado implica un cambio radical. La escuela primaria tiene otras reglas y normas a las que tendrá que adaptarse tu pequeño. El vínculo con sus pares y con otros adultos y figuras de autoridad son los aspectos más importantes de la etapa. El mundo del niño se amplía significativamente por fuera del ámbito de la familia y los conocidos.
Nuevas personas –adultos y niños–, nuevos lugares y nuevas reglas de comportamiento, caracterizan de aquí en adelante la vida de tu hijo. Este mundo desconocido le exigirá aprender a comportarse con los otros y a lograr propósitos en contextos distintos, por ejemplo, alcanzar rendimiento académico y desarrollar la seguridad en sí mismo. Posiblemente, uno de los mayores desafíos que tengas en este periodo sea contribuir a lograr una creciente autonomía, y ayudarlo a insertarse en nuevos espacios de socialización (escuela, grupos de pares, etcétera).

98

¿Qué relación tengo que establecer con la escuela y la maestra?

La escuela no es solo un lugar en el cual dejamos a nuestros hijos una determinada cantidad de horas diarias. Es uno de los ámbitos por excelencia de la vida infantil con una importancia similar a la familia. Involucrarse en actividades curriculares y extracurriculares propuestas por el establecimiento o escuela es una forma clara de valorización positiva, del proceso de aprendizaje de nuestros hijos y de nuestro compromiso expreso con su formación. Es decir, no solo se trata de asistir a eventos obligatorios, como reunión de padres y actos patrios, sino también participar de las distintas actividades que la escuela propone. Para los niños, en particular para los más pequeños, es un placer sentir la presencia de sus padres en la escuela. Participando le enseñarás con el ejemplo que es necesario involucrarse con las instituciones de la comunidad. Esta es una enseñanza sobre compromiso, ejercicio de deberes y ciudadanía que va más allá del ámbito escolar. Es muy importante que establezcas una relación de cooperación con las maestras con el objetivo de desarrollar las potencialidades de tu hijo.

El déficit atencional

El déficit atencional afecta la capacidad de la persona para concentrarse y también para controlar su comportamiento. Es una de las principales causas del fracaso escolar y de los problemas sociales que pueden presentarse en la infancia. Los padres y la escuela son fundamentales para ayudar a los niños que sufren este trastorno.

¿Qué es el déficit atencional?

El déficit atencional (DA) es la dificultad para focalizar y mantener la atención considerada apropiada de acuerdo con la edad y la madurez cognitiva y emocional. Los niños con DA se identifican fácilmente cuando interactúan con otros de su misma edad en áreas organizadas, productivas o ambas. Esto es más visible en los grupos escolares, que imponen normas más rígidas que los grupos recreativos. Es por eso que la escuela se presenta como un ámbito privilegiado para detectar esta dificultad.

Los niños que padecen DA se desempeñan en forma diferente en las distintas áreas. En algunas, parecen moverse con responsabilidad y soltura, mientras que en otras muestran serias dificultades.

Las características salientes del DA son: fácil distracción, baja tolerancia a la frustración, sensación de aburrimiento e incapacidad para controlar las conductas. Estas características no son transitorias, sino que persisten en el tiempo. Los niños con DA no hacen lo esperable para su edad. Por lo general, causan desorden y situaciones de indisciplina en la escuela, lo que produce una gran conmoción en el aula y por lo que suelen recibir reprimendas y penitencias.

Los problemas en el ámbito escolar

Los niños que padecen DA no pueden cumplir con las expectativas impuestas ni con las metas que se proponen. En el preescolar son excluidos de los juegos, con frecuencia, por su agresividad. Su bajo nivel de tolerancia a la frustración los lleva a lastimar a otros niños, a los que golpean, muerden y tiran de los cabellos.
Ya en la edad escolar, se los describe habitualmente como niños inmaduros, con problemas de aprendizaje debido a su escasa capacidad para concentrarse y mantener la atención en una tarea determinada. Además, suelen perturbar el clima de la clase.

¿Qué pasa con la familia?

La mayoría de los padres de niños con DA se sienten muy solos. Esto tiene que ver con las situaciones de aislamiento que padecen sus hijos, al no poder integrarse en los ámbitos normales para los niños de su edad: cumpleaños a los que no son invitados por la conducta hiperactiva, clubes o centros deportivos en los que son discriminados, escuelas en donde a menudo son citados por problemas de disciplina, paseos y encuentros sociales a los que deben renunciar.
No es raro que, sobre todo las madres, manifiesten sentimientos de culpa, tristeza y dudas en relación con su capacidad para educar a sus hijos. Es aconsejable abandonar estos sentimientos negativos ya que agravan los problemas y no ayudan a que los niños puedan superarlos.

Los síntomas más notorios del DA son:

- *Desatención;*
- *Impulsividad;*
- *Hiperactividad;*
- *Incapacidad de regular la atención o concentración durante el desarrollo de una tarea;*
- *Problemas para esperar y planificar respuestas o acciones;*
- *Dificultades para quedarse quieto.*

¿Qué hacer si sospechamos que nuestro hijo tiene DA?

Acudir a un especialista en el momento en el que se detecte algún síntoma. Así, se podrá aplicar un tratamiento precoz y evitar posibles dificultades de aprendizaje. Hay que tener mucho cuidado con las etiquetas, ya que con frecuencia ante problemas en el aula, se recurre a este tipo de diagnóstico sin evidencias suficientes ni opiniones calificadas. Por eso, el diagnóstico solo puede ser realizado por un neuropediatra o un psiquiatra infantil con experiencia, que además podrá sugerir el tratamiento adecuado según las características del niño y de su familia.
Es fundamental el apoyo familiar y escolar, para estimular a niños con DA a incorporar normas, horarios y responsabilidades para evitar problemas de aprendizaje o posible fracaso escolar.

99

¿Cómo lo ayudo a ser responsable?

Muchas veces, los problemas escolares comienzan a manifestarse en el desinterés de los niños por realizar las tareas para el hogar. Por lo general, esto ocurre cuando los padres no prestan la atención suficiente y los niños suelen ocupar todo su tiempo con otras actividades, como mirar televisión o jugar con la computadora.
Desde el inicio de la escolaridad debes tomar las medidas necesarias para que tu hijo asuma la responsabilidad que tiene con la institución escolar, ya sea prestar atención en clase o realizar las tareas, sin vivir esto como una carga o una obligación impuesta desde afuera. Con paciencia y amor, tienes que ayudarlo a que comprenda la importancia de la educación para su vida futura y a desarrollar sus propias normas. Para ello, puedes hacer algunas cosas muy sencillas, por ejemplo: fijar con claridad el horario para hacer la tarea; generar un ambiente tranquilo para poder estudiar y felicitarlo ante cada mejora, por mínima que sea.
Recuerda que tu apoyo será clave para motivar a tu hijo y ayudarlo a obtener éxito en su desempeño escolar.
Para esto, deberás reconocer los esfuerzos que haga pero manteniendo un nivel de expectativas realista acorde con las potencialidades del niño. Si tus expectativas y las de los maestros son muy bajas, el rendimiento del niño será menor, no por falta de capacidad sino por falta de estímulos.

¿Lo sabías?

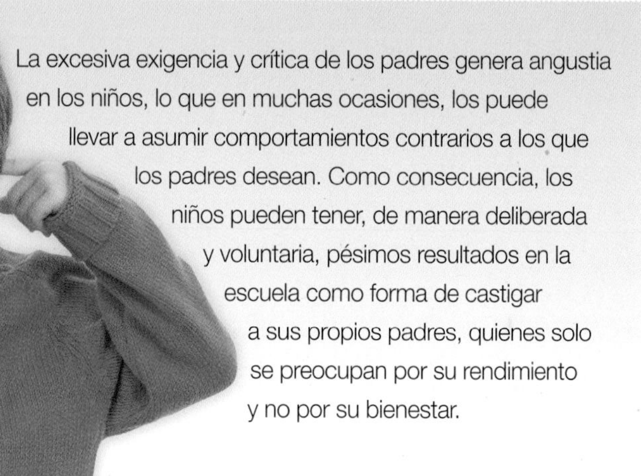

La excesiva exigencia y crítica de los padres genera angustia en los niños, lo que en muchas ocasiones, los puede llevar a asumir comportamientos contrarios a los que los padres desean. Como consecuencia, los niños pueden tener, de manera deliberada y voluntaria, pésimos resultados en la escuela como forma de castigar a sus propios padres, quienes solo se preocupan por su rendimiento y no por su bienestar.

100

¿Cuáles son los problemas escolares más frecuentes?

Los problemas vinculados a la escolaridad pueden ser de distinto tipo: de aprendizaje, de conducta o de asistencia, y pueden derivar incluso en lo que se denomina fobia escolar: el niño se resiste a ir a la escuela aun cuando disfruta de las tareas y actividades escolares. A medida que se acerca la hora de salir para la escuela empieza a sentir mucha ansiedad. Entonces, apela a dolores corporales para faltar, entre ellos, dolores de panza, de cabeza, descomposturas estomacales, fiebre, diarrea y vómitos. Este problema suele ser más común en los niños entre 5 y 7 años, aunque puede reaparecer más tardíamente, entre los 11 y 14 años. Entre las causas más frecuentes, los especialistas citan el deseo inconsciente de continuar siendo un niño pequeño para gozar de la compañía permanente de sus padres y el temor a enfrentar situaciones nuevas, sobre todo al inicio de la escuela primaria y la secundaria.

En muchos casos, los problemas escolares se originan en que el niño sufre el hostigamiento de sus compañeros de curso, lo que se conoce también como acoso escolar o *bullying*. El niño que es víctima de este tipo de maltrato, por lo general, no quiere asistir a la escuela, vive con temor y prefiere estar solo. Este es un problema muy preocupante que requiere de un esfuerzo conjunto de la escuela y la familia para resolverlo.

Al contrario de lo que podamos pensar, los problemas de aprendizaje no se deben mayoritariamente al desinterés o a limitaciones cognitivas o intelectuales.

101

¿Cómo elegir las actividades extraescolares?

Lo primero que debes tener en cuenta es la necesidad de mantener un equilibrio entre las actividades de la escuela, las extracurriculares (por fuera de las obligatorias del colegio) y el tiempo libre destinado al ocio y al juego. Además, por ejemplo, es importante conocer las características del niño. Si tu hijo tiende a preferir actividades muy pasivas, por ejemplo, mirar televisión, jugar con la computadora o con videojuegos, y elige juegos solitarios y con poca estimulación intelectual, creativa e imaginativa, las actividades extraescolares pueden ser un buen recurso para ponerlo en movimiento. Hay niños que necesitan estimulación para utilizar su tiempo en actividades que, además de generar placer, contribuyan en el bienestar físico, mental y social.

Si por el contrario, tu pequeño es por sí mismo (y por la estimulación familiar recibida) activo, curioso, creativo y con una frondosa vida imaginaria, quizás necesite menos actividades pautadas o programadas y más horas de tiempo libre para dar rienda suelta a su imaginación y creatividad. Está desaconsejado tanto la falta de toda actividad por fuera del horario escolar como la sobrecarga de la agenda de los pequeños con actividades programadas, ya que esto produce estrés y les quita tiempo y energía para volcarse a crear, jugar y fantasear, actividades fundamentales en la niñez. La carencia de vida imaginaria resulta en una disminución de la creatividad. Un niño que permanentemente está exigido por las reglas del mundo externo no tiene muchas oportunidades para ser creativo. El proceso de crear es posible si el niño puede fantasear una situación (o actividad), planificarla, definir las reglas de juego y ejecutarla.

¿Lo sabías?

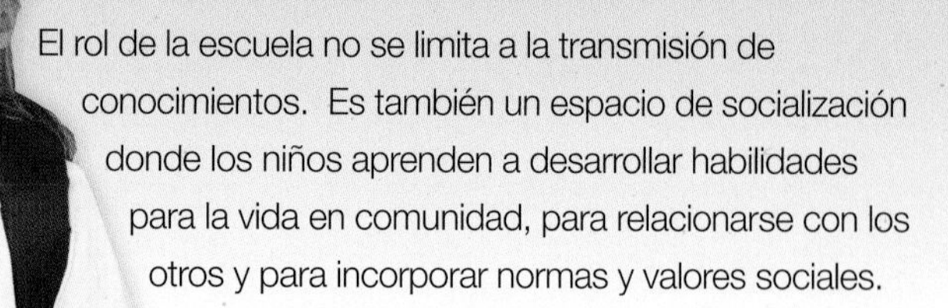

El rol de la escuela no se limita a la transmisión de conocimientos. Es también un espacio de socialización donde los niños aprenden a desarrollar habilidades para la vida en comunidad, para relacionarse con los otros y para incorporar normas y valores sociales.